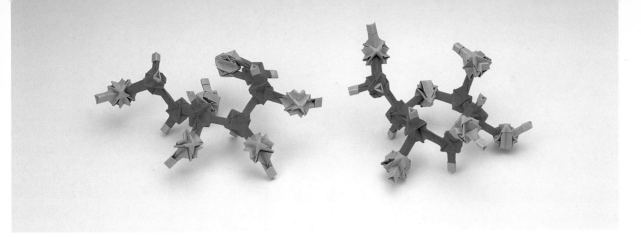

上左：グルコース（p.70）

上右：グルコピラノース（p.70）

　赤：C（炭素），青：O（酸素），
ピンク：H（水素）

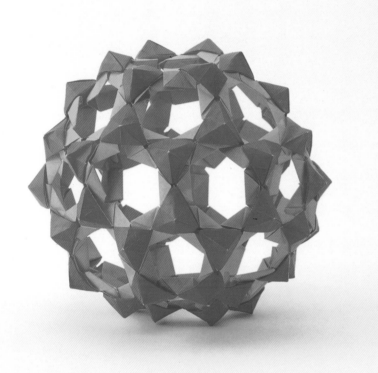

左：フラーレン（p.80）

下左：グラファイト（p.76）

下右：錯塩（p.42）

　塩化コバルト・アンモニア錯塩
黄：Cl（塩素），緑：N（窒素）

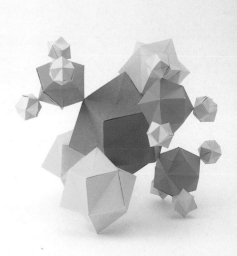

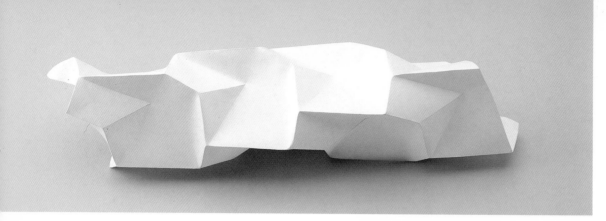

上：α ヘリックス（p.91）

右：β 構造（p.92）

中：α ケラチン（p.94）

下：コラーゲン（p.93）

　それぞれ，側鎖部分を省略して，タンパク質分子の二次構造を示した模型

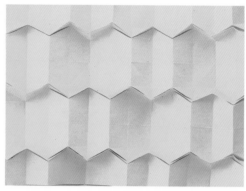

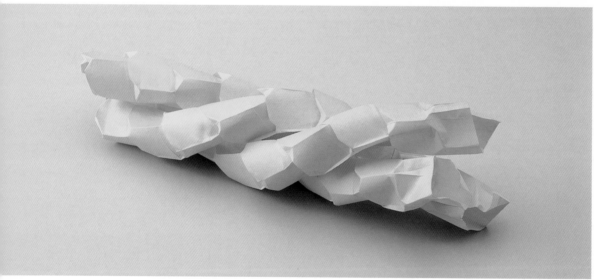

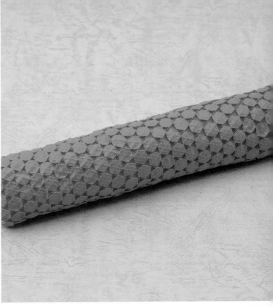

上：タバコモザイクウイルス（p.99）

左：エイズウイルス（p.101）

下：原形質膜（p.102）

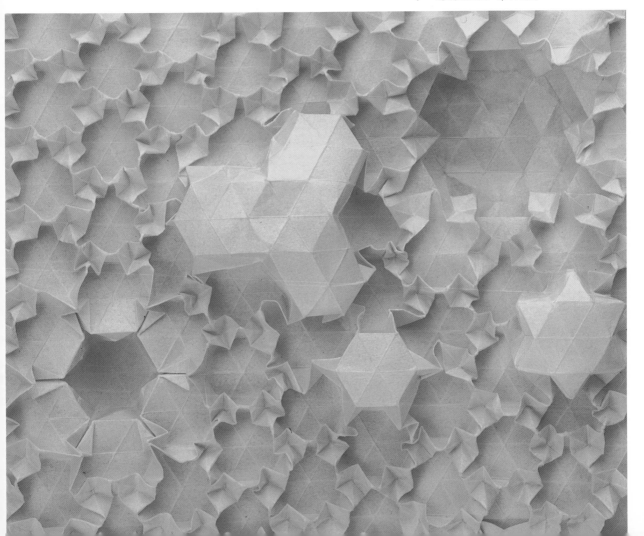

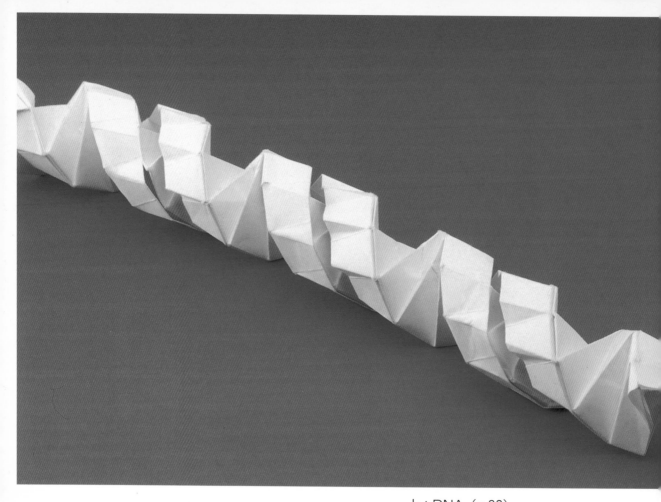

上：DNA（p.83）

下：tRNA（p.86）

下：G-C塩基対（p.81）

　赤：C，青：O，緑：N，白：H

下：A-T塩基対，糖を省略

MOLECULAR MODELS with ORIGAMI by YOSHIHIDE MOMOTANI

折り紙で広がる化学の世界

手のひらの中の化学実験

桃谷 好英 著

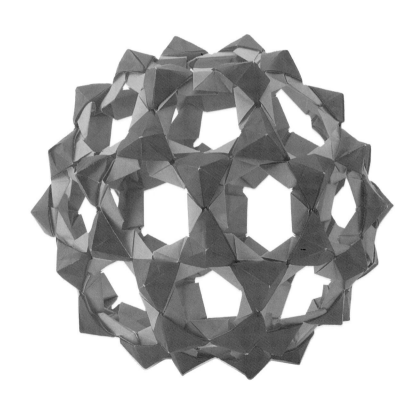

化学同人

はじめに

　分子模型には，分子のおおまかな形を示すためと，分子の中の原子のつながりを示すためなどと，目的に応じたつくり方があります．この本は折り紙でつくる分子模型の本です．

　化学構造も一種の模型で，原子価にしたがって原子間のつながり方を示しています．構造式では官能基の化学的性質が強調されますが個々の原子の大きさは無視しています．だから，立体的な構造や，立体障害，反応性，溶媒との相互作用などは，別の解説文が必要になっています．

　分子の中の原子の配置と原子の占有体積は，結晶のX線回折像の解析で求められてきました（最近はNMRでも）．原子の輪郭は原子の周辺部の電子雲の形で表されますが，電子雲は電子の軌道と存在確率を表しているだけですから，はっきりとした輪郭はもともと決められはしません．しかし，ファンデルワールス半径を使って模型をつくり，見て触るほうが，どうなっているのかが解ったような気持ちになれますし，形の違った分子を比較しながらそれらの関係なども示せます．

　原子の大きさを忠実に表した分子模型は，少し複雑な分子では粒の集まりのように見えて，なんのことか解らなくなるという欠点があります．模型の単位ユニットを一つずつ自分でつなぎ合わせてつくると，姿が理解できますが，できあがった模型を見る他人には納豆の粒の集まりにしか見えません．元素の種類で色分けしてみても，ネギを刻んで入れた納豆にしか見えないでしょう．それは，私たちの感覚がその程度のものでしかないというのが原因で，似たような抽象美術作品が製作者以外に解りにくいのと関係があるかもしれません．いずれにせよ，こういう分子模型を自分の理解のためにつくってください．

　原子の大きさを小さい目につくり，つながりを棒で示して強調すると，かなり説明的な模型になり，製作者以外にも解ります．構造式よりは立体的情報量も多く，化学式を習った人にはより具体的理解が得られるでしょう．それを機会に，シュールレアリズムの絵の中で解るものが見つかれば，もうけものかもしれません．

　模型を使って学生に説明するとき，具体的に見えるので，常識的なことを説明し忘れやすいようです．そこで，くどいようですが初歩的な解説も書いておきました．ただし，化学の大切な部分の反応，熱力学，量子力学，波動関数などの，折り紙で模型をつくりにくそうなことは，この本では抜けています．努力して結果がよければ，あらためて書きたいと思います．

　わざわざ模型をつくらなくても，コンピュータ画像で分子モデルは見られます．でも，ヒトの感覚とくに形の認知は長年にわたっての行動と結びついて進化したものですから，自分の手を使ってつくる場合と画像だけで得る場合とでは理解像に差がでます．最近はテレビでも世界中の珍しいところや人物にも会えます．しかし，実際に旅行したり体験することには代えられません．それは，感覚や理解が行動と切り離せないようにしかできていないからでしょう．だから，実験のほうがより効果的ですが，実験は簡単ではないし，見えない分子の形までは体験しがたいので模型で間に合わせてみましょう．

　2001年2月　立春

桃谷好英

折り方の記号

この線でこちらへ折る．谷折り線

折られる紙が動く方向

向こうへ折るときの折り線．山折り線

向こうへ折られる紙が動く方向．折られた部分が向こうへかくれる

かくれたところに折り目がある場合
いまは折らないが，先に折った跡が残っている場合
いまそこには紙がないが，前にあったはずだという場合

かくれている紙が引きだされる場合

図の全体，または一部分を大きくかいたとき

矢印の先が示す部分を押す，押し込む，押し広げる，押しつぶし

引っぱる．矢印のつけ根を，矢印の先のほうへ引っぱる

別の紙を，そこへ差し込むまたは指を入れて広げる

●印が○印にかさなるように動く

作品全体を裏がえしにおく

途中

中わり折り（本文の中では，途中の図，2つは省略）

途中

かぶせ折り（本文の中では，途中の図，2つは省略）

●目　次●

分子模型をつくるために　Preparation to make molecular model

正三角形　How to make regular triangle

　立体的な結晶構造の模型や有機化合物の分子模型をつくるためには，正三角形，正方形，正五角形，正六角形などを簡単につくれると便利．たとえば，正三角形4個をつないだ正四面体，8個で正八面体の結晶模型や，20個で正二十面体のウイルス模型などがつくれる.

　そこでまず，正三角形の折り方を書く．そのあとで，その方法を応用して，構造単位に使える正三角形のユニットを折り紙でつくる方法を書くことにした．正三角形は，3個の辺の長さが同じ三角形だから，幾何学で教わった作図方法を，そのまま折り紙に移しかえた.

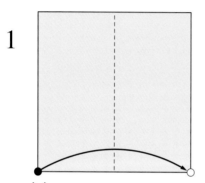

1

●のかどを○に重ねるようにして，半分に折る

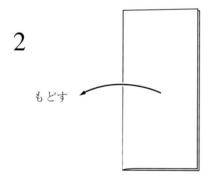

2

もどす

（底辺の垂直2等分線ができたことになる）

3

●のかどが○印の点線上にくるように折る
（底辺を移動したことになる）

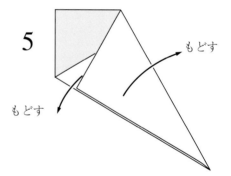

4

ふちにそって，折る
（移動した底辺を，書き移したことになる）

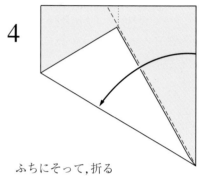

5

もどす

もどす

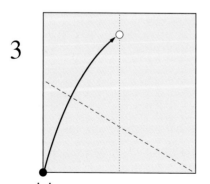

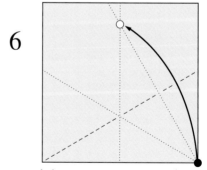

6

●のかどが○印にくるように折る
（底辺を移動したことになる）
（3個の辺を同じ長さにつくったことになる）

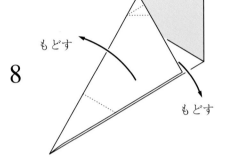

7

ふちにそって, 折る

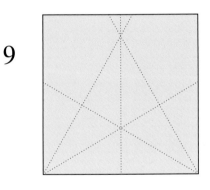

8

もどす

もどす

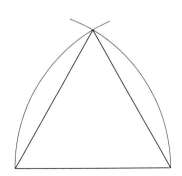

9

これで, 正三角形のすじが, できている

参考：作図の場合

不定形の紙の場合

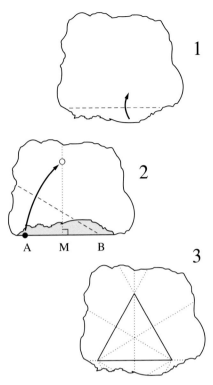

1

2

A　M　B

3

不定形の紙でも, 1で直線をつくり, A, B 2点を決めてから, 左のように 折ると, 正三角形ができます

正確な正方形の折り紙の場合　A

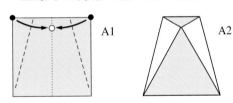

A1

A2

正確な正方形の折り紙の場合　B

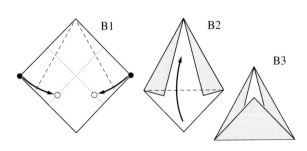

B1

B2

B3

正三角形　11

正三角形のユニット　Unit of regular triangle

いくつもつないで組み立てるとき便利なように，周辺にすきまのあるユニット

1

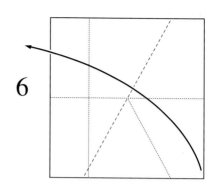

6

4でつけた折り目に従って折る

2

折って，もどして，しるしをつける

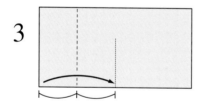

3

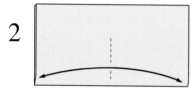

7

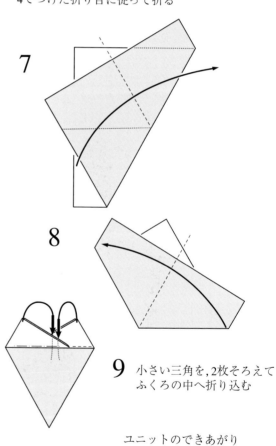

4

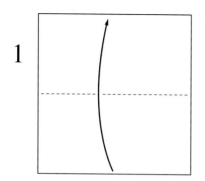

●のかどを○印の辺の上へもってゆく

8

9　小さい三角を，2枚そろえて
ふくろの中へ折り込む

5

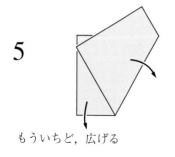

もういちど，広げる

ユニットのできあがり

10

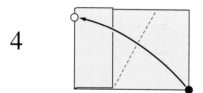

ユニットのつぎ手　Joint of the triangular unit

正三角形 2 個分の菱形を折って，つぎ手に使うことにする．正方形を半分に切った長方形の紙を使用．

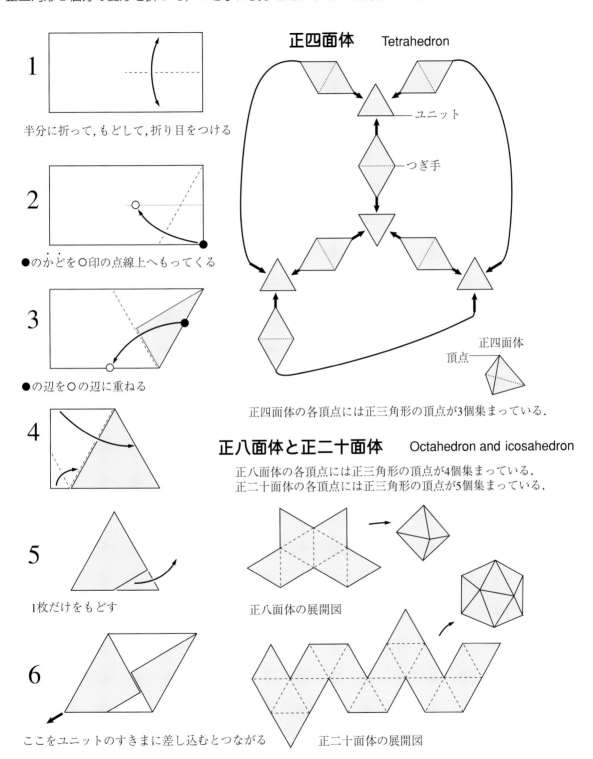

1 半分に折って，もどして，折り目をつける

2 ●のかどを○印の点線上へもってくる

3 ●の辺を○の辺に重ねる

4

5 1枚だけをもどす

6 ここをユニットのすきまに差し込むとつながる

正四面体　Tetrahedron

ユニット

つぎ手

正四面体
頂点

正四面体の各頂点には正三角形の頂点が3個集まっている．

正八面体と正二十面体　Octahedron and icosahedron

正八面体の各頂点には正三角形の頂点が4個集まっている．
正二十面体の各頂点には正三角形の頂点が5個集まっている．

正八面体の展開図

正二十面体の展開図

正六面体　Hexahedron

　正方形のユニットを6個つないで箱にする．食塩の小さい結晶は正六面体になっている．食塩の結晶の中では，プラス（＋）の荷電をもったナトリウムイオンとマイナス（−）の荷電をもった塩素のイオンが交互に並んでいる．並びはタテ方向でもヨコ方向でも，高さの方向でも交互になっているので，全体として立方体の結晶になり，＋と−が中和されている．イオン結晶という．食塩の大きい結晶では，正方形の面の縁から内側に向かって少しずつ段ができて，くぼんでいる場合がある．濃い食塩水の中に小さい結晶ができてから，つづいて結晶が成長してゆくときに，面の周辺部には続いてイオンが補給されるが，中心部では補給が少しおくれるせいだろう．ゆっくりと結晶を成長させると，透明な立方体になる．

正方形のユニット　Unit of square

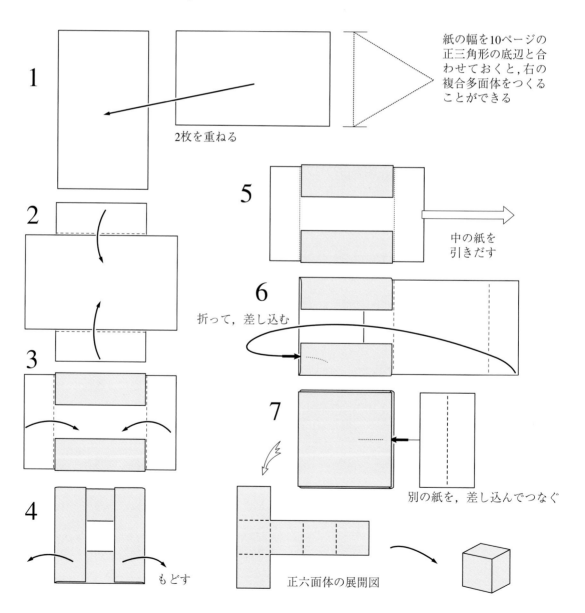

紙の幅を10ページの正三角形の底辺と合わせておくと，右の複合多面体をつくることができる

2枚を重ねる

5　中の紙を引きだす

6　折って，差し込む

7　別の紙を，差し込んでつなぐ

もどす

正六面体の展開図

複合十四面体　　Compound polyhedron

　正方形のユニットの周囲に 4 個の正三角形のユニットをつける．その正三角形の周囲には，正方形が 3 個ついているようにする．この条件を繰り返すと，正方形 6 個と正三角形 8 個で閉じた複合多面体ができる．別の小さい紙を，つぎ手にして組み立ててください．この多面体は，正六面体の 8 個の頂点のそれぞれを切り取った形にもなっている．

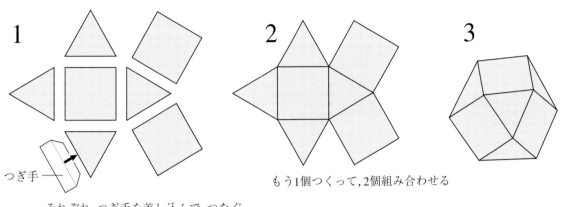

1

つぎ手 —

それぞれ，つぎ手を差し込んで，つなぐ

2

もう1個つくって，2個組み合わせる

3

複合多面体　　Compound polyhedron

　正方形や正三角形でなくても，組み合わせ方によって，いろいろな多面体がつくれる．それぞれのユニットの折り方は，あとのページで書くので，つくることを試みて下さい．各ユニットの辺の長さが，同じになるようにつくると，組み立てることができる．最近は準正多面体とのいい方がされている．

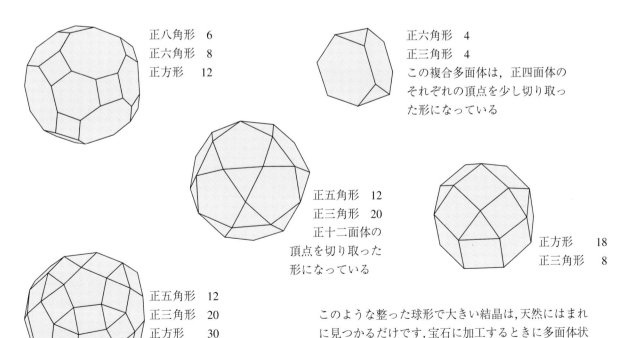

正八角形　　6
正六角形　　8
正方形　　　12

正六角形　　4
正三角形　　4
この複合多面体は，正四面体の
それぞれの頂点を少し切り取っ
た形になっている

正五角形　　12
正三角形　　20
正十二面体の
頂点を切り取った
形になっている

正方形　　　18
正三角形　　8

正五角形　　12
正三角形　　20
正方形　　　30

このような整った球形で大きい結晶は，天然にはまれに見つかるだけです．宝石に加工するときに多面体状になるように整えるのだそうです．

正八角形のユニット　　Unit of regular octagon

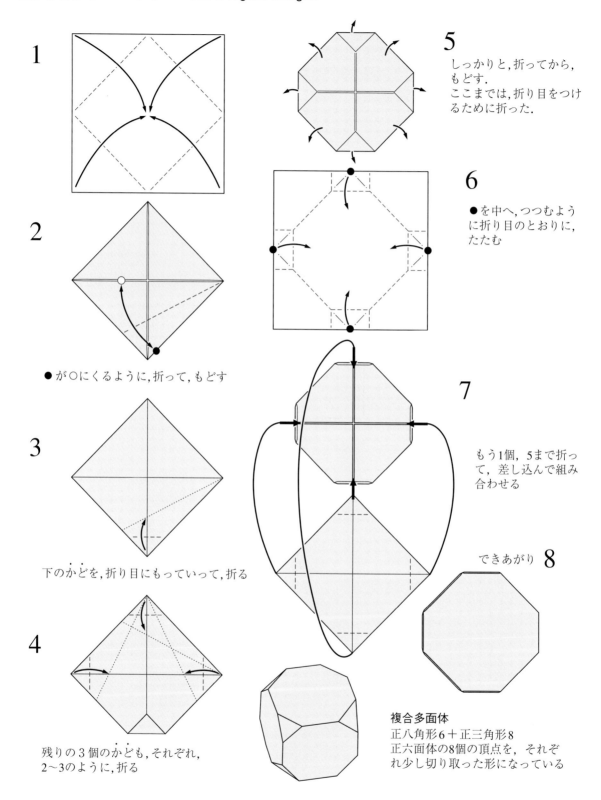

1

2

● が ○ にくるように, 折って, もどす

3

下のかどを, 折り目にもっていって, 折る

4

残りの3個のかども, それぞれ,
2〜3のように, 折る

5

しっかりと, 折ってから,
もどす.
ここまでは, 折り目をつけ
るために, 折った.

6

● を中へ, つつむよう
に折り目のとおりに,
たたむ

7

もう1個, 5まで折っ
て, 差し込んで組み
合わせる

できあがり 8

複合多面体
正八角形6＋正三角形8
正六面体の8個の頂点を, それぞ
れ少し切り取った形になっている

正六角形のユニット　Unit of regular hexagon

　正六角形も正八角形も，それぞれ単独では正多面体はできないが，複合多面体の中の面にはなりうる．左のページの正八角形は，正方形のかどを折り込んで八角にしてある．このページの正六角形では，正三角形のかどを折ると六角になる．もし途中でわからなくなるようでしたら，先に正八角形を折って練習して下さい．そうするとわかると思います．

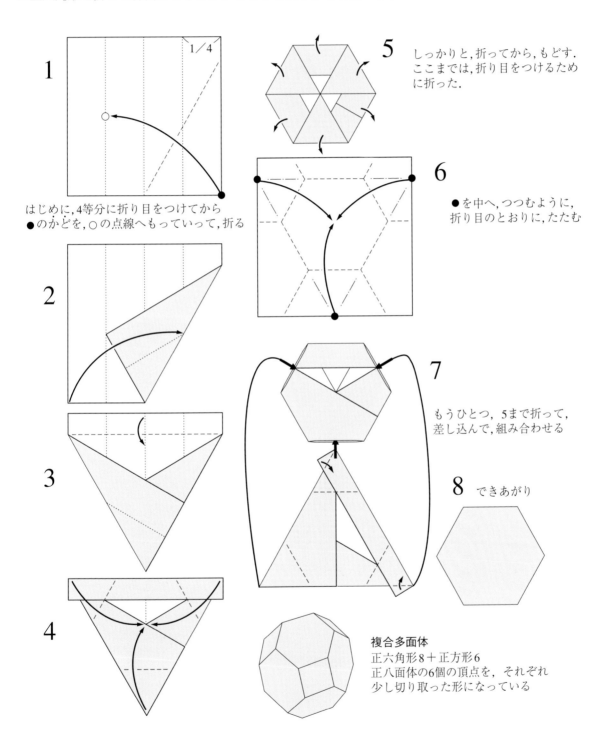

1　1/4
はじめに，4等分に折り目をつけてから
●のかどを，○の点線へもっていって，折る

2

3

4

5　しっかりと，折ってから，もどす．
ここまでは，折り目をつけるために折った．

6　●を中へ，つつむように，折り目のとおりに，たたむ

7　もうひとつ，5まで折って，差し込んで，組み合わせる

8　できあがり

複合多面体
正六角形8＋正方形6
正八面体の6個の頂点を，それぞれ
少し切り取った形になっている

正五角形のユニット Unit of approximately regular pentagon

正方形の性質と√2:1の矩型の性質を利用した近似的な正五角形

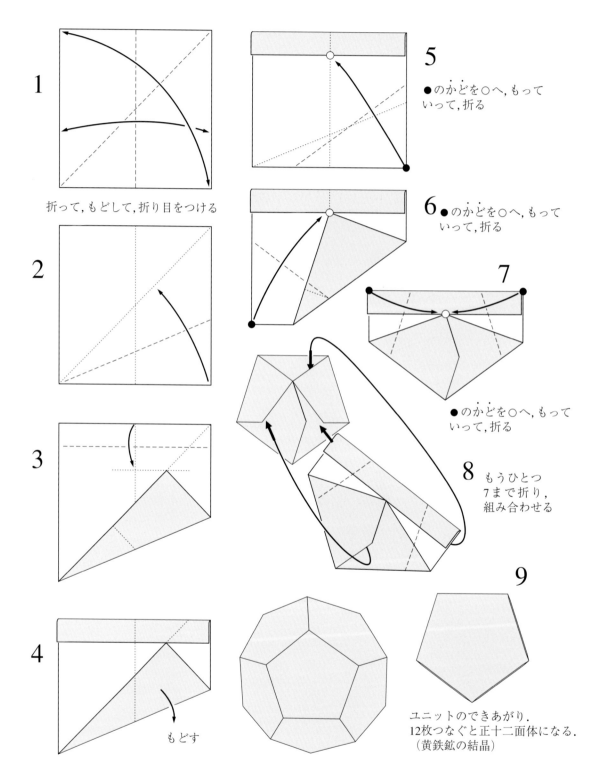

1 折って,もどして,折り目をつける

2

3

4 もどす

5 ●のかどを○へ,もっていって,折る

6 ●のかどを○へ,もっていって,折る

7 ●のかどを○へ,もっていって,折る

8 もうひとつ 7まで折り,組み合わせる

9 ユニットのできあがり. 12枚つなぐと正十二面体になる. (黄鉄鉱の結晶)

正十二面体 Dodecahedron

結晶の形　Form of crystals

　結晶の形と多面体の形は古くから関連をもってみられてきた．同じ物質の結晶は，生成したときの環境によって外見上の形が違うが，同温度，同圧下で生成した結晶は，結晶の面の間の角度（面角）は一定になっていることを1669年にデンマークのステノ（N.Steno）が発見した（面角一定の法則）．

　結晶の外見上の違いを，いくつかの方向に成長が偏ったとみなして，面の方向をもとにして，等価の面を同形同大にして描いた図を，その結晶の理想形という．結晶も幾何学的な多面体とみなして，結晶の中心や対称軸や対称面が想定されている．対称の要素は2回対称，3回対称，4回対称，6回対称，軸と対称面，点対称，4回回映軸の7個の要素に分けられている．4回回映というのは，結晶を中心軸の回りで90°回転するとき，軸に直交する鏡面でも元と同じになる（360°回すと4回，そのミラーイメージで4回回映）．

　上のような対称性で決めた座標軸を結晶軸という．結晶軸の数と，長さ（軸率）と，結晶軸の交わり角度（軸角）をもとに，いろいろな物質の結晶が7個の結晶系に分類されている（図：座標軸）．

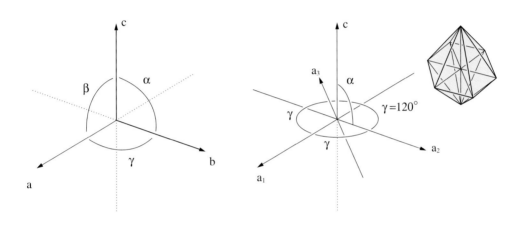

（表：結晶系）

結晶系	光軸数	軸角	結晶軸	例
等軸晶系	3	$\alpha = \beta = \gamma = 90°$	$a = b = c$	岩塩($NaCl$)，黄鉄鉱(FeS_2)，方鉛鉱(PbS)，ザクロ石($MgAlFeMnCa$含有ケイ酸塩鉱物)
正方晶系	1	$\alpha = \beta = \gamma = 90°$	$a = b \neq c$	黄銅鉱($CuFeS_2$)，ジルコン(ZnO_2SiO_2)
斜方晶系	2	$\alpha = \beta = \gamma = 90°$	$a \neq b \neq c$	橄欖石(Mg_2SiO_4とFe_2SiO_4の固溶体)，重晶石($BaSO_4$)
単斜晶系	2	$\alpha \neq \beta = \gamma = 90°$	$a \neq b \neq c$	雲母，正長石($KAlSi_3O_8$)，セッコウ($CaSO_4 \cdot 2H_2O$)
三斜晶系	2	$\alpha \neq \beta \neq \gamma$	$a \neq b \neq c$	斜長石($NaAlSi_3O_8$と$CaAl_2Si_2O_8$の固溶体)
六方晶系	1	$\alpha_1 = \alpha_2 = \alpha_3 = 90°$ $\gamma_1 = \gamma_2 = \gamma_3 = 120°$	$a_1 = a_2 = a_3$ $\neq c$	赤鉄鉱(Fe_2O_3)，エメラルド($Be_3Al_2Si_6O_{18}$)
三方晶系（六方晶系に入れる場合が多い）				水晶(SiO_2)，方解石($CaCO_3$)

ダ・ヴィンチの多面体　　da Vinci's polyhedron

　レオナルド・ダ・ヴィンチの発案と伝えられている多面体の中の1個だが，この形の結晶はない．
対称軸が多いので，つぎに書く分子や結晶中の原子の配置の模型に使える．立方体の8個の稜を押し
込むと，直角二等辺三角形24枚で包まれた多面体になる．正八面体の各面に三角錐をはりつけた形と
もいえる．折り紙の風船は，稜線を立てると立方体になるので，これと同様につくり変える方法が伝
承されている．

1

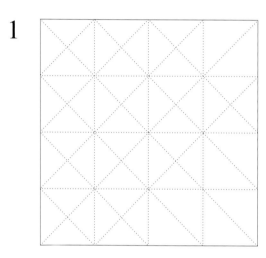

それぞれの………線で折って，もどして，
折り目をつけておく．
斜めに8等分．たてとよこは4等分．

2

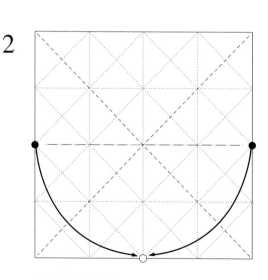

折り目にしたがって，
●を○へ，もってゆくように，たたむ

3

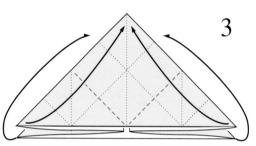

向こう側も，同様に折る

4

向こう側も，同様に折る

5

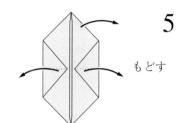

もどす

6

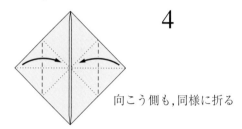

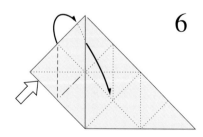

折り目のとおりに，あいだへ，ねじるように折る．
ここから12まで，向こう側も，同様に折る．

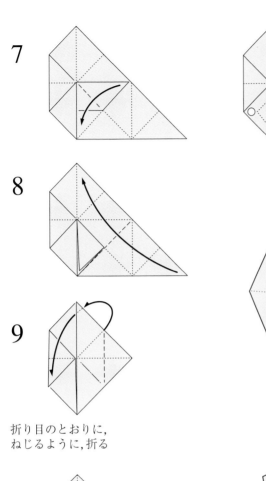

7

8

9

折り目のとおりに,
ねじるように,折る

10

11

少し開いて,●の三角を
その下にある○の三角の
ふくろの中へ,押し込む

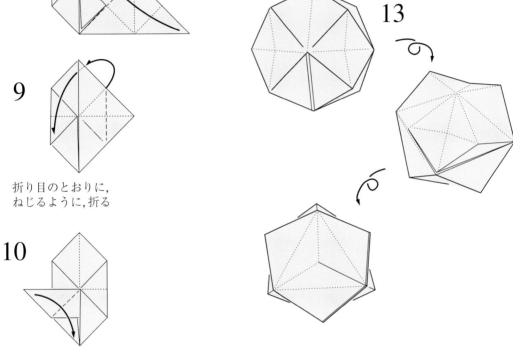

途中

12

ふくらませる.
ストローで息を吹き込むとよい.

13

　はじめに,しっかりと折り目をつけておくと,ふく
らませたときに多面体になる.折り目が充分について
いないと,ただの折り紙の風船になってしまう.
　この多面体は見る方向によっては,球形に見えない.
たくさん折ってつなぐ場合には,1個ずつの形が目立
たないので,球形でないことが,さほど気にはならない.
　表面の三角錐の頂点は8個あるので,1個おきに選
ぶと,正四面体の頂点方向に向かう結合をもった分子
模型がつくれる.凸の稜線が4個あつまる頂点6個を
選ぶと,6配位型の分子がつくれる.

分子模型の組立　How to assemble the molecular model

　折り紙作品の，折りあがったときの美しさをそのまま見せたいなら，折り紙の分子模型も必要なときにつくるのがよいと思われます．つまり，できたてがきれい．それでも，多くの原子でできた大きい分子模型をつくるには，手間も時間もかかります．そこで，形をしっかりと保てるように加工して，保存できるようにする方法も必要です．

　この本に書いた折り方では，折り目がもどらない工夫をしてあります．さらに，保存できるようにするには，まず，全工程をていねいに扱うことが大切です．とくに，折ってできた稜線をくずさないように．紙を折ったときにできた稜線の美的評価は，なんと，1000年前に清少納言が『枕草子』の中に書いています．

　ふくらみの保存：前ページに示したような，1個の粒子に対応する折り紙の風船は，強くもつと凹みます．中へ何かを詰めるとよいでしょう．発泡スチロールを細く切って詰めると軽くできます．綿やシュレッダーダストは以外に重く，あとで針金をとおすときに，とおしにくいのが欠点です．

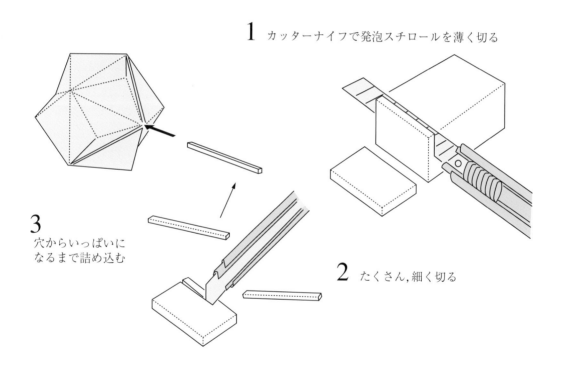

1 カッターナイフで発泡スチロールを薄く切る

2 たくさん，細く切る

3 穴からいっぱいになるまで詰め込む

　針金のとおし方：紙風船は，糊でつなぐことができます．紙の表面だけでのつながりは変形しやすいので，つながりの方向に，針金をとおしておきます．紙を巻いた手芸用の針金がよい．針金の太さは，分子模型ができたときに端をもってもあまり変形しない程度の細いものがよい．太すぎると，かえって紙が傷む．粒子2個分の長さずつにして，つぎの粒子も別に2個分の針金で，順次につないでゆくときれいにできます．先に針で穴をあけてから，糊をつけた針金をとおすこと．

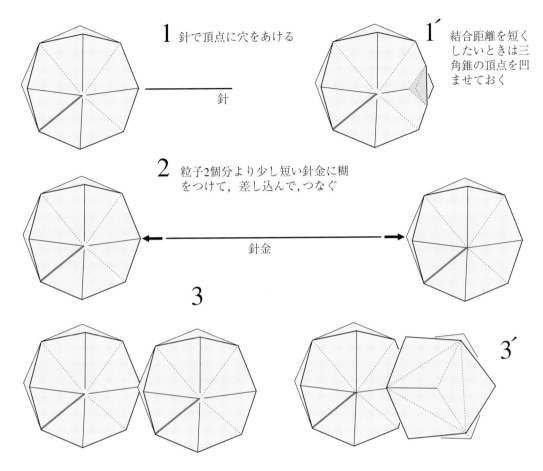

1 針で頂点に穴をあける

針

1´ 結合距離を短く したいときは三 角錐の頂点を凹 ませておく

2 粒子2個分より少し短い針金に糊 をつけて，差し込んで，つなぐ

針金

3

3´

つなぐ方向：前ページのダ・ヴィンチの多面体は，その表面に，直角三角形を3個集めた三角錐が8 個あります．1個の三角錐の周囲の，3個の三角錐の各頂点と，裏側の1個の頂点に針金を刺すと，針 金は正四面体の4個の頂点に向かってでてきます．

4個の稜線が集まる頂点は6個あり，そこに針金を刺すと，正八面体の各頂点に向かう結合ができま す．もちろん，2個刺さないでおけば，正方形型の結合方向が得られます．

4個の稜線が集まる頂点の1個と，その反対側の頂点をはさむ2個の三角錐の頂点に針金を刺すと， 平面上にほぼ120°ずつに広がった結合価角になります．

そのほかのわずかな結合価角のズレは，針金の刺し方で調節してください．

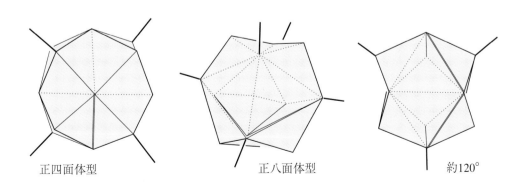

正四面体型　　　　　　　　　　正八面体型　　　　　　　　約120°

結晶格子　　　Crystal lattice

　結晶の形の規則性を説明するために，フランスの数学者ブラヴェ（Bravais, 1811〜1863）が，結晶内の構成粒子の配列を示す単位格子を仮定した．後に，ドイツの物理学者ラウエ（Max T.F. von Laue, 1879〜1960）が，X線が結晶内の原子で散乱されて生じるラウエの斑点から，単位格子中の原子の座標を求めて，空間的な結晶格子が描かれるようになった．これで，結晶の中では構成粒子が規則的に配列していることが確かめられ，また，結晶中の原子の占める体積も算出されるようになった．

　結晶を構成している原子，イオン，分子などの空間的な繰り返し配置の最小単位を，立方体型の格子状に示したものを結晶格子という．先の，14ページに書いた食塩のイオン結晶では図のようになっている．

（図：食塩の結晶格子）

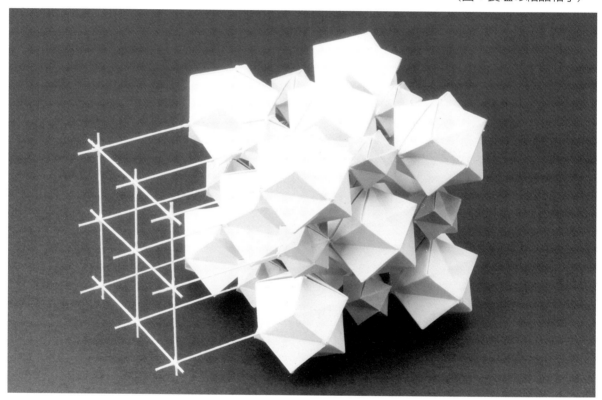

イオン結晶　　　Ionic crystal

　イオン結晶では，−イオンと＋イオンがクーロン力で引き合っているので，食塩では−荷電をもつ塩素のイオンの周囲に＋荷電のナトリウムイオンが6個配置している．もちろんナトリウムイオンも前後左右上下の6個の塩素のイオンに囲まれる関係になっていて，結晶格子の形がそのまま結晶の立方体の形に現れている．一般的には，格子の形がつねにそのまま大きい結晶の形になるとまではいえないが，格子の形と結晶形には関係がある．

　結晶格子の種類を決める要因には，配位数が＋，−両イオンの半径の比に影響されるということがある．＋イオンの周囲に水分子が配位して＋イオンが大きくなることで，安定な結晶ができる場合，その水を結晶水という．結晶水には，構造水，配位水，−イオンに結合した水，格子の空間を埋める格子水などが区別されている．

金属結晶　Metallic crystal

　金属の結晶では，荷電子の一部または全部が原子間を自由に動き（自由電子），金属原子全体に共有されて結合エネルギーが生じている（金属結合）．おのおのの原子が同格なら，同じ大きさの球を並べるのと同じことになるので，最密充填型の配置になったり，展性，延性があることも納得できる．球の最密充填は，20ページのダ・ヴィンチの多面体をたくさん折って並べると再現できる．また，パチンコ玉を瞬間接着剤でつなぐと小さいがきれいな模型になる．

　金属の結晶格子には，最密六方格子，面心立方格子，体心立方格子が知られている．

（表：結晶格子の種類と例）

結晶格子	例
最密六方格子	Be, Mg, Ti, Co, Zn, Cd, Os
面心立方格子	Al, Ca, γ-Fe, Ni, Cu, Sr, Ag, Ce, Ir, Pt, Au, Tl, Pb
体心立方格子	Li, Na, K, V, Cr, α-Fe, δ-Fe, Zr, Nb, Mo, Ba, Ta, W, U

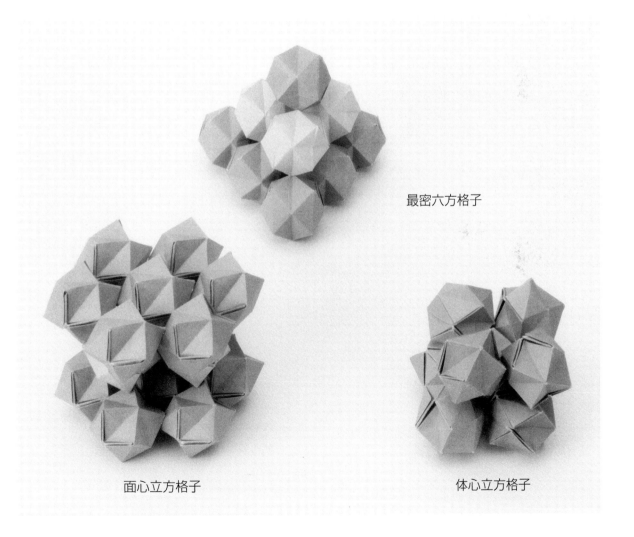

最密六方格子

面心立方格子

体心立方格子

共有結晶　　Covalent crystal

　原子間がすべて共有結合でつながったダイヤモンドの結晶は，それ自体が1個の分子といえる．ケイ素(Si)，石英(SiO_2)，カーボランダム(SiC)なども共有結晶で，融点が高くて硬い物質になっている．

　共有結晶では，原子がつながる方向（結合価角）と，つなぎの数（価数）が決まっているので，結晶格子もそれぞれの原子で決まった種類になる．しかし，大きい結晶に成長するとき，格子の許す範囲でいろいろな外形になる．

（図：ダイヤモンドの結晶構造）

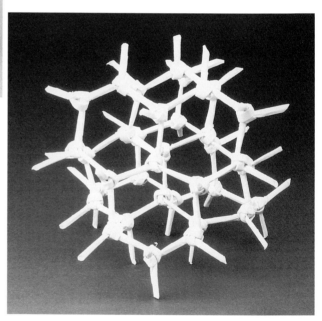

分子結晶　　Molecular crystal

　結晶の構成粒子それぞれが，安定な分子でできているのを分子結晶という．

　一原子分子ともいわれる希ガスでも低温では，原子間のファンデルワールス（van der Waals）力で面心立方格子の結晶になるそうである．

　多くの有機物の結晶は，いろいろな種類の分子間力で結晶になっている．分子間力は，水素結合，疎水結合，双極子間相互作用，イオン結合，配位結合，凝集力など，および，それらの複合によるだろう．ときには，反発的な力や，秩序を壊す方向の力も，結晶格子を決める要素として働いている．分子間力は溶媒の影響を受けるので，溶媒の種類によって結晶形も変わりうる．

　分子間力が大きい結晶は，融点が高く，高分子の結晶では融解点に達するまでに分解するのが多い．

原子の大きさ　　Size of atom

　結晶のＸ線解析で，結晶格子が画かれると，結晶中の原子や分子それぞれの占有体積が幾何学的方法で簡単に求まる．

　同族の元素，たとえば，周期表の１（ＩＡ）で，Ｈ，Ｌｉ，Ｎａ，Ｋ，Ｒｂ，Ｃｓでは，原子量が大きくなるにつれて原子核の重さも電子の数も増えるので，原子の体積も増すことになる．

　しかし，周期律表を左から右へ，たとえば，Ｌｉ，Ｂｅ，Ｂ，Ｃ，Ｎ，Ｏ，Ｆとたどると，原子量も電子の数も増すのに，逆に，原子の体積は減少する．定性的には，核の＋荷電が増加する効果と説明されている．

　イオン化の場合には，＋イオンはその元の原子よりも小さくなる．たとえば，Ｎａ原子の半径は1.86Åと見積もられるのに，Na^+イオンの半径は約半分の0.95Åと見積もられている．－イオンでは，元の原子より大きくなる．たとえば，Ｃｌ原子の半径は0.99Åだが，Cl^-イオンの半径は1.81Åで，約２倍にふくらんでいる．これが，小さい＋イオンと大きい－イオンの当量でできた食塩の結晶が立方格子になる理由ともいえる．ただし，実験的証明の積み立て順序でいえば，占有体積がそう計算できるからＣｌがイオン化したとき半径が約２倍（体積が約８倍）になると結論されたことになる．

　なお，原子や分子の大きさは拡散速度から求めることもできる．気体なら，小さい穴から流出する速度が分子量の平方根に反比例すること（グレアムの法則）から求められる．

　模型をつくるには，紙の大きさを，原子や分子の半径に比例するように選ぶだけでよい．たとえば，一辺18.6cmの紙と，一辺9.5cmの紙で風船を２個折ると，その大きさがＮａ原子とＮａ＋イオンの大きさの比を示すことになる．簡便におよそそのことを表現したければ，ふつうの折り紙を２枚用意して，１枚を４個に切って一辺が半分の正方形をつくり，それぞれで風船を折るとよい．もっと球形に近い原子のイメージを要求するなら15ページの多面体を選んでもよい．

Na　　　　　　　Cl　　　　　　　　NaCl

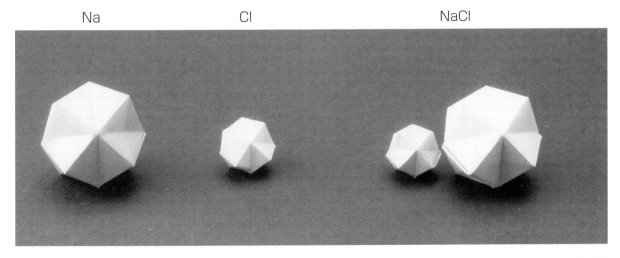

（左から右へ：ナトリウム原子，塩素原子，ナトリウムイオン，塩素のイオン，それぞれの大きさの比較）

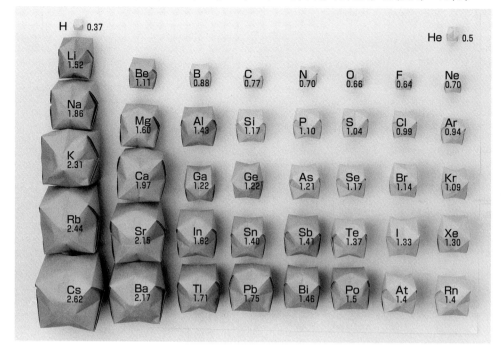

1 (ⅠA)	2 (ⅡA)	13 (ⅢA)	14 (ⅣA)	15 (ⅤA)	16 (ⅥA)	17 (ⅦA)	18 (0)
H 0.37							He 0.5
Li 1.52	Be 1.11	B 0.88	C 0.77	N 0.70	O 0.66	F 0.64	Ne 0.70
Na 1.86	Mg 1.60	Al 1.43	Si 1.17	P 1.10	S 1.04	Cl 0.99	Ar 0.94
K 2.31	Ca 1.97	Ga 1.22	Ge 1.22	As 1.21	Se 1.17	Br 1.14	Kr 1.09
Rb 2.44	Sr 2.15	In 1.62	Sn 1.40	Sb 1.41	Te 1.37	I 1.33	Xe 1.30
Cs 2.62	Ba 2.17	Tl 1.71	Pb 1.75	Bi 1.46	Po 1.5	At 1.4	Rn 1.4

上は原子の大きさの比較, 下はイオンの大きさの比較

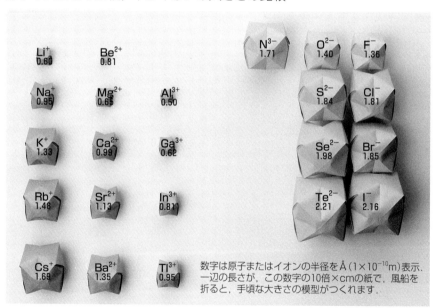

Li+ 0.60	Be2+ 0.31		N3- 1.71	O2- 1.40	F- 1.36
Na+ 0.95	Mg2+ 0.65	Al3+ 0.50		S2- 1.84	Cl- 1.81
K+ 1.33	Ca2+ 0.99	Ga3+ 0.62		Se2- 1.98	Br- 1.85
Rb+ 1.48	Sr2+ 1.13	In3+ 0.81		Te2- 2.21	I- 2.16
Cs+ 1.69	Ba2+ 1.35	Tl3+ 0.95			

数字は原子またはイオンの半径を Å($1×10^{-10}$m)表示. 一辺の長さが, この数字の10倍×cmの紙で, 風船を折ると, 手頃な大きさの模型がつくれます.

　原子の重さは主として原子核の重さで, 炭素原子Cの1／12を基準として
陽子は1.007276 u, 中性子は1.008665 u, 電子は0.000549 u. u は1.6605655^{-24}g, したがって,
水素原子は1.007276 u ＋ 0.000549 u ＝ 1.007825 u

　一方, 原子の大きさは10^{-10}m程度, 原子核の大きさは10^{-14}〜10^{-15}m程度と見積もられている. この値は, ラザフォード（Rutherford, 1911）が, ＋荷電をもった α 粒子が金属薄膜を透過するとき, ＋荷電をもった金属原子核で散乱される量から求めたとのこと. 原子核を直径 1 mm としたらその外に直径10〜100mの電子の雲がついているような姿になるので, 折り紙で模型をつくれるような比率ではない.

水素原子のスペクトル　Spectrum of hydrogen atom

　白熱電球の光や太陽光をプリズムをとおして壁に映すと，赤から青までの虹色が連続した光の帯になる．それをスペクトルという．放電などで高温にされた水素ガスからでる光のスペクトルは，明るい線が間隔をあけて並んでいるので線スペクトルという．

　可視光の線スペクトルを表す数式をバルマー（Balmer, 1885）が導き，1908年頃，その一般式が提出された．スペクトルの明るい線のある各波長をλとすると，その逆数つまり波数 $1/\lambda$ は

$$1/\lambda = R_H(1/n_1^2 - 1/n_2^2)$$　で表される．

ただし，R_H は実験で得られた比例定数でリュードベリ（Rydberg）定数とよばれ109678.18 ㎝⁻¹である．

n には1，2，3，4，5…など整数を入れる．$1/n_1^2$，$1/n_2^2$ の2個の項の差（2項の結合）が波数に比例するので，リッツ（Walther Ritz, 1908）の結合の原理といわれる．

　$n_1 = 1$ で，$n_2 = 2$，3，4…に相当する線スペクトルは紫外部に現れ，その研究者の名をとってライマン（Lyman, 1906）系列とよばれている．

　線スペクトルが可視光範囲にあるのはバルマー系列（$n_1 = 2$，$n_2 = 3$，4，5‥）

　赤外部にはパッシェン（Paschen, 1906）系列（$n_1 = 3$，$n_2 = 4$，5，6，7‥）さらに，
ブラケット（Brackett）系列（$n_1 = 4$，$n_2 = 5$，6，7‥），
さらに長波長側にプント（Pfund）系列（$n_1 = 5$，$n_2 = 6$，7，8‥）がある．

　水素原子が不連続な線スペクトルをだす理由は，原子内部の発光過程にエネルギーの不連続的要素がかかわっていると考えられ，量子力学の発展につながった．

　スペクトルは天文学でよく利用されてきた．多くの恒星の高温の大気に水素ガスが多量に含まれていて，それぞれの光を分光観測すると，線スペクトルから温度もわかる．スペクトル全体が長波長側にずれている程度は，その星や星雲がわれわれから遠ざかっている速さを示すからである．紫外線は宇宙の塵で散乱されて望遠鏡に届きにくいこともあるがエネルギーは大きいので観測しやすい．赤外線は散乱されにくいので，遠い星からも届きやすいなど，それぞれの線スペクトル系列が場合に応じて使われている．明るい太陽の光を分光した場合には，太陽外気や地球大気による光の吸収で暗線〔フラウンホーファー（Fraunhofer）線〕も観測される．

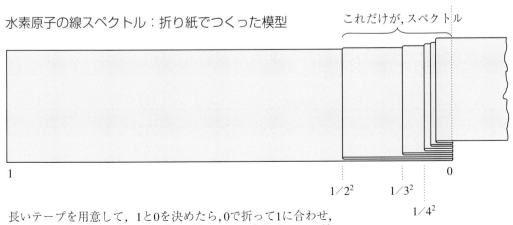

水素原子の線スペクトル：折り紙でつくった模型

これだけが，スペクトル

1　　1/2²　　1/3²　　1/4²　　0

長いテープを用意して，1と0を決めたら，0で折って1に合わせ，その1/4を右にとり，また残りを0で折って，1に合わせて，つぎの1/9を折る．以下同様に，その操作を繰り返す．

線スペクトルの折り方　　How to make spectra

　折り紙で1／nの表現は，簡単にできる．紙を半分に折るとその紙の1／2ができるからである．1／2²は，1／2×1／2だから，同様に折ることを2回繰り返せばよいことになる．同様に1／n²は1／nを2回繰り返せばできる．

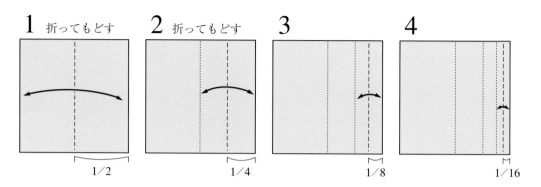

1 折ってもどす　　**2** 折ってもどす　　**3**　　**4**

1／2　　1／4　　1／8　　1／16

紙の縁で合せて折ると1／2，もう1回で1／2²になる　　1／4を2回半分に折ると1／4²=1／16になっている

1／3，1／3²の折り方

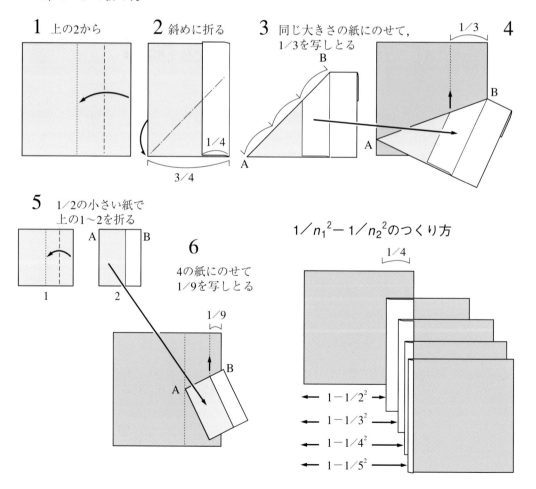

1 上の2から　　**2** 斜めに折る　　**3** 同じ大きさの紙にのせて，1／3を写しとる　　1／3　**4**

B

A

3／4　　1／4　　A　B

5 1／2の小さい紙で上の1～2を折る

1　　A　2　B

6

4の紙にのせて1／9を写しとる

1／9

A　B

1／n₁²−1／n₂²のつくり方

$$1／n_1{}^2 − 1／n_2{}^2 のつくり方$$

1／4

← 1−1／2² →
← 1−1／3² →
← 1−1／4² →
← 1−1／5² →

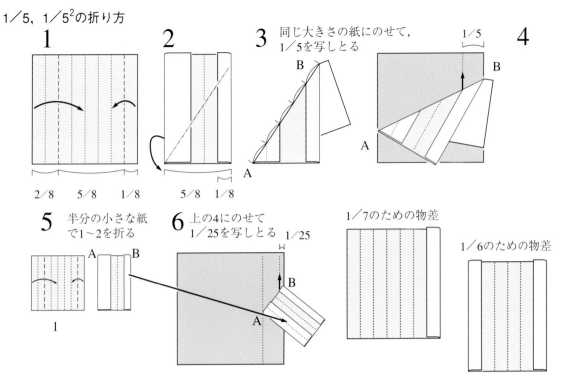

1／5，1／5²の折り方

1　2／8　5／8　1／8

2　5／8　1／8

3 同じ大きさの紙にのせて，1／5を写しとる　B　A

4　1／5　B　A

5 半分の小さな紙で1～2を折る　A　B　1

6 上の4にのせて1／25を写しとる　1／25　B　A

1／7のための物差

1／6のための物差

　デンマークの物理学者ニールス・ボーア（Niels Bohr）は1913年に，ドイツのマックス・プランク（Max Karl Ernst Ludwig Planck）の量子論を水素原子に応用した．ボーアは，水素原子では，陽子を中心にして1個の電子が円軌道上を回っていると仮定して，電子がエネルギー状態の高い軌道から低い基底状態の軌道に落ちるときにそのエネルギー差を光にして放出すると考えた．

　電子の運動量Pは，　　　$P=nh／2\pi$

ただし，$n=1$，2，3，4・・・の整数をあてて，$n=1$が基底状態に相当する．hはプランクの定数でエネルギーの最小単位（作用量子）で，6.6260755×10^{-34} J s．

　n番目の状態のエネルギーE_nは，　　　$E_n=(2\pi^2e^2／n^2h^2)\mu_H$

ただし，eは素電荷で，$e=1.60217733\times10^{-19}$ C．陽子の質量をM_H，電子の質量をm_eとすると，換算質量μ_Hは　$1／\mu_H=1／M_H+1／m_e$で決まる．

　軌道n_2のE_2状態から，軌道n_1のE_1状態に電子が落ちたときの発光は，

$1／\lambda=v／c=(E_2-E_1)／ch$　アインシュタインの式　$v=c／\lambda$　を使用して，

$1／\lambda=(2\pi^2e^4\mu_H／ch^3)(1／n_1^2-1／n_2^2)$

　この式は，先に29ページにでてきたリッツの$1／\lambda$の式と同じ形なので，リュードベリ定数は，

$R_H=2\pi^2e^4\mu_H／ch^3$　と書き換えできる．

　そこでe，μ_H，c（光速度），hのそれぞれに数値を入れると，$R_H=109677.76$cm^{-1}となり，実験値の109678.18とよく合う．

　したがって，水素原子の電子状態とその発光過程も量子化されていることになった．その後，フランスの物理学者ド・ブロイ（Louis-Victor de Broglie）の物質波の考えをもとに，オーストリアの物理学者シュレーディンガー（Erwin Schrödinger）の波動方程式が登場（1926）してボーアの主量子数（n）のほかに，電子の空間的広がりの形を表現できる方位量子数（l）と，磁気量子数（m）が導入された．その後さらに，電子のスピン量子数（$m_s=+1／2$または$-1／2$）が加えられた．

　つまり，線スペクトルが元でリュードベリ定数が決まり，電子のエネルギーが量子化されていると考えられて，量子力学につながり電子軌道の姿が描かれるようになった．

分子軌道　　Molecular orbital

　化学のための本としては，前ページまでの内容のつぎに，化学反応や周期律表と電子的構造のかかわりなどを説かなければならないが，具体的な模型で説明するには，なお困難なので省略してつぎへ移る.

メタン分子の姿：sp³混成軌道

　炭素原子の基底状態の電子軌道は$1s^2$，$2s^2$，$2p^2$，と書かれる．1は最も内側の軌道，2は$n=2$の外殻電子，sは球形の軌道，pは立体的に方向をもってラグビーボール状に広がった軌道で，肩の小さい2はその軌道の中の電子の数.

　ところが，ダイヤモンドの結晶格子（26ページ）の形，メタンCH_4分子，そのほかの炭化水素鎖の中の炭素原子は，正四面体の中心から4個の各頂点に向かう方向につながっている．それは，炭素原子の4個の外殻電子が$2s^2$と$2p^2$の状態の軌道ではなく，正四面体の各頂点方向に向かって伸びた4個のラグビーボール形のsp^3混成軌道になっているからだと波動関数の側から説明されている.

（図：メタンの分子軌道）

　炭素原子の電子は$1s^2$，$2s^2$，$2p^2$の配置だから，外殻の4個の電子を使った結合では左の図のようになるはずだが，メタンでは，sp^3混成軌道が形成されて右図のようになっている.

　結合に使われている電子は，1個の原子に固有ではなく，2個の原子の間（メタンではCとHの間）で，2個の電子が共有されているので共有結合という（炭素からきた電子と水素からきた電子と1個ずつ）．また，電子の軌道は分子軌道という．波動関数から見て2個の原子間を結ぶ軸のまわりに対称な広がりをもつ軌道をσ軌道，その共有結合をσ結合という．また，メタンにはないが，つぎに書くエチレンでは，結合軸と直角方向に広がった軌道をπ軌道といい，2個のπ軌道の側面での重なりで生じる結合をπ結合という.

メタン分子の sp³ 混成軌道の折り方　How to make sp³ orbital

電子の数は各軌道2個ずつで，合計8個がこの軌道にある.

1

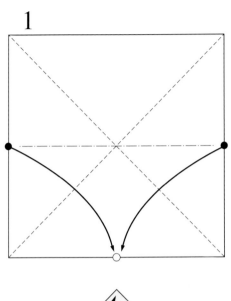

2

ここから7まで,向う側も同様に折る

3

4

上のかどを ━ ━ 線で，ねじるように折る

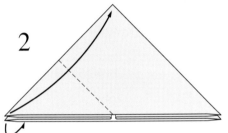

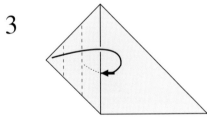

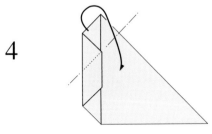

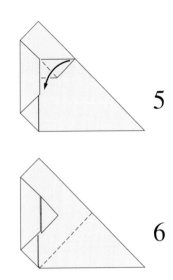

5

6

右半分も，2〜6のように折る

7

●の三角を
○の下へ,かくす

8　ふくらませる

9

4個を折って
つなぐ

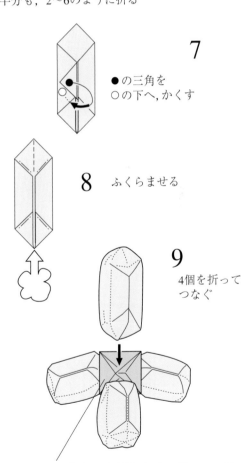

1s²軌道は正八面体を利用，折り方はつぎのページ

正八面体のスケルトンの折り方　　How to make skeletal octahedron

　sp^{3}混成軌道の形を組み立てるため，芯に使います．p軌道を折った紙と同じ大きさの紙で折ると1s^{2}軌道に対応する大きさにできます．

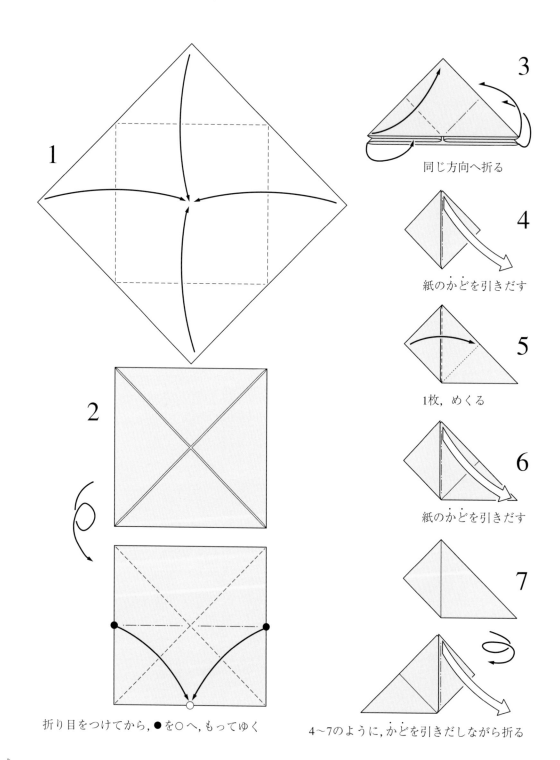

1

2

折り目をつけてから，●を○へ，もってゆく

3

同じ方向へ折る

4

紙のかどを引きだす

5

1枚，めくる

6

紙のかどを引きだす

7

4〜7のように，かどを引きだしながら折る

正四面体の折り方　How to make tetrahedron

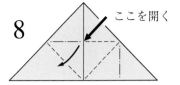

8

ここを開く

折り目をつけてから，
矢印のところを，開く

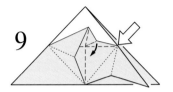

9

右の1枚を，寄せて，立てる

10

中へ，たたみ込む

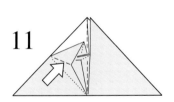

11

白い矢を，押し込んで，閉じる

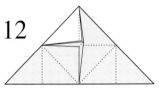

12

残りの3か所も
8〜12のように折る

13

できあがり

3：1の長い紙を，2枚使用

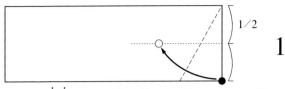

1

1/2

右下のかどを，紙の2等分線○上にもっていって折る

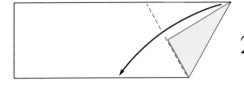

2

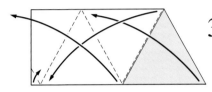

3

三角を巻くように
しっかりと，折る

4

もどす

正四面体の形にする

5

6

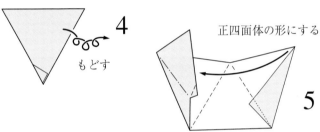

もう1枚を1〜5まで折り，
差し込んで，巻きつける

7

差し込む

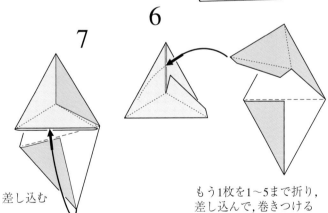

8

正四面体のできあがり

アンモニア分子の姿とローンペア電子　Ammonia and lone pair electrons

　窒素原子の7個の核外電子は$1s^2$, $2s^2$, $2p_x$, $2p_y$, $2p_z$と書かれる（外殻電子は5個）．アンモニア分子NH_3では，窒素原子は3個の水素原子と共有結合しているが，電子構造は正四面体形になっている．分子の中の窒素原子では，sp^3混成軌道ができていて，その4個の軌道のうち3個が水素原子の各$1s$電子との共有結合のσ軌道で，残りの1個の軌道は結合に加わらない2個の電子の電子対になっているとされる．

　結合にかかわらない電子対をローンペア電子（lone pair electrons：孤立電子対）または，n電子（non-bonding electron pair：非結合電子対を省略してn）という．

水分子の姿　Water molecule

　酸素原子の8個の核外電子は$1s^2$, $2s^2$, $2p_x^2$, $2p_y$, $2p_z$と書かれる（外殻電子は6個）．水分子H_2Oでも，酸素原子にはsp^3混成軌道ができていて，4個の軌道は2個の水素原子との共有結合の方向と，2対のローンペア電子の方向に向いた正四面体構造になっている．ただし，2個のローンペア同士の間の反発があるので，H－O－H間の結合角が少し狭められて104.5°になっていると説明されている．

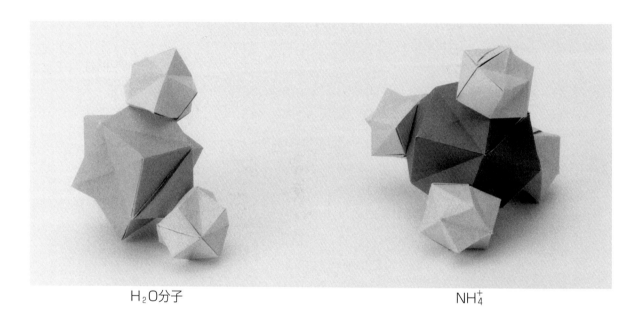

H$_2$O分子　　　　　　　　　　　　　　　　NH$_4^+$

配位結合とアンモニウムイオンの姿　Coordination and ammonium ion

　水素イオンH^+とアンモニア分子NH_3が結合して，アンモニウムイオンNH_4^+が生じる．電子を失って生じた水素イオンの$1s$軌道が空いているので，その軌道がアンモニアのローンペア電子に利用されて共有結合が生じていると考えられている．このような，ローンペア電子がほかの原子の空いた軌道に入ることによって両者間に生じる共有結合を配位結合（coordination bond）という．

　そうだとすると，アンモニウムイオンの4個のN－H間共有結合はすべて同格で，あまった＋荷電は1個のアンモニウムイオン全体で担っていることになる．アンモニウムイオンが正四面体構造であることからも，そういえる．

水素イオン　Hydrogen ion

　水素イオンH^+は１ｓ電子を失っているので，ほかの原子やイオンよりもはるかに小さいことになるが，水中では水分子との配位結合でヒドロニウムイオンH_3O^+になっているので大きさがある．ただし，水溶液中の化学反応でも書くときには通常H^+と書かれる．

　水素イオン濃度は，$-\log[H^+]$と定義されているのでpH７は$1/10,000,000$モルのH^+しか含まない．pH１でも$1/10$モルだから，水が55 Mとするとイオン／分子の数の比は$1/556$しかない．

H_3O^+

エチレン分子の姿とπ電子　Ethylene and π-electron

　エチレン$CH_2＝CH_2$分子では，水素原子２個ずつをつけた２個の炭素原子が，全体として１個の平面内に配置された図のような形になっている．こうなる理由は，炭素原子の基底状態の電子軌道は$1s^2$，$2s^2$，$2p_x$，$2p_y$だが，それが$1s^2$，$2sp^2$，$2p_z$になっているのだと説明されている．

　波動関数から見ると，sp^2混成軌道の３個の電子が互いに$120°$の角度でxy面に沿って広がり，それぞれ２個の水素原子およびもう１個の炭素原子との間にσ軌道の共有結合を形成している．残った$2p_z$の電子はxy面に直角に上下に広がったπ電子の軌道にあって，２個の炭素原子をπ結合でつないでいるので，$C-C$間を結ぶ結合軸のまわりの回転は起こらない．２個の炭素原子間に，σ結合とπ結合とでできた結合を二重結合とよぶ．

　エタンCH_3-CH_3分子の２個の炭素原子間の距離は1.5Åで，結合軸のまわりで対称なσ結合なので，$-CH_3$は軸を中心に回転できる．エチレンの$C＝C$間はσ結合にπ結合が加わった二重結合なので，距離は縮んで1.34Åになっている．

エタン　　　　　　　　　　　　　エチレン

π電子の折り方　　How to make π-orbital

　電子雲には，はっきりとした境界はない．しかし，模型で形を示すと，分子のおよその形のイメージを描ける．同じ大きさの紙を使いながら，s軌道やp軌道の場合よりも先が広がった形につくると，-C＝C-の結合の場合に電子雲が少し重なる大きさになった．

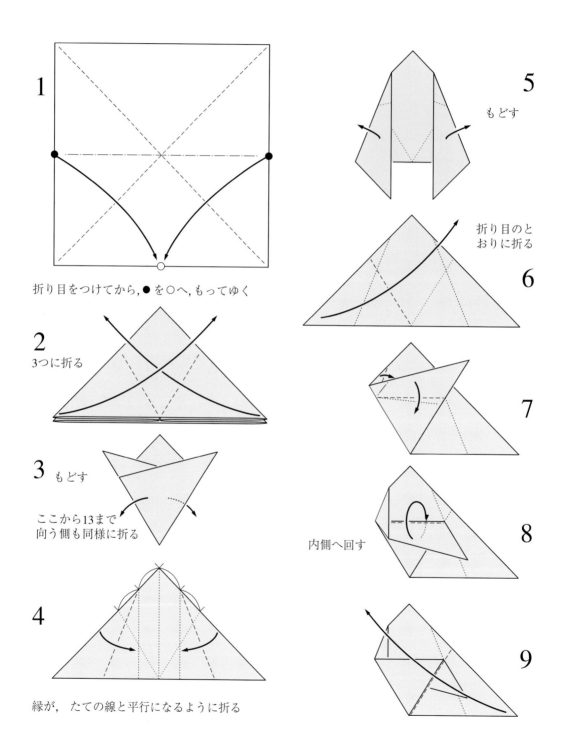

1 折り目をつけてから，● を ○ へ，もってゆく

2 3つに折る

3 もどす
ここから13まで
向う側も同様に折る

4 縁が，たての線と平行になるように折る

5 もどす

6 折り目のとおりに折る

7

8 内側へ回す

9

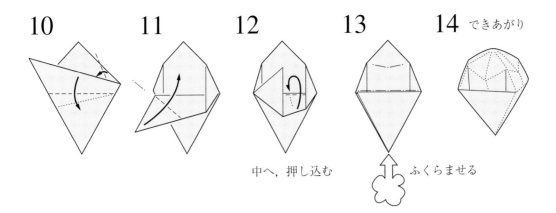

10　11　12　13　14 できあがり

中へ，押し込む　　　ふくらませる

共役二重結合　　Conjugated double bond

　ブタジエンbutadieneの示性式は$CH_2=CH-CH=CH_2$で，このように1個おきに二重結合がある式で書かれる構造を共役二重結合という．中央に単結合が書かれているが，内側の$=C-C=$間でもπ電子の軌道の広がりは中央でも重なりをもつ（つまり，π結合が生じうる）ので，分子のπ電子軌道は分子全体に広がっている．したがって，どのCC間も1.5Åより短い．

（図：ブタジエン）

電荷移動力　　Charge transfer force

　アメリカの物理学者マリケン（R.S.Mulliken）が1952年にいいだした結合力で，電子をだしやすい分子（donor）と電子を受け入れやすい分子（acceptor）との間に生じる弱い結合力である．

　たとえば，四塩化炭素に溶かしたベンゼン（π-donor）のπ電子とヨウ素分子（acceptor）の反結合軌道との相互作用で，電荷の分布が少し変わって色が変わり，双極子モーメントが生じるので，結合しているといえる．

　Acceptorがあるときには，ローンペア電子をもった分子（n-donor）にも電荷移動力が生じうる．

双極子モーメントと結合の極性 Dipole moment and polarity

原子が電子を引きつける傾向を尺度にして1924年にポーリング（L.Pauling）が電気陰性度（electro-negativity）を，数字で表した．電気陰性度の差が大きい2個の原子が結合した分子ではイオン結合性が主となり（polar bond），差が小さい場合には共有結合性が強いことになり，ポーリングはそれを%で求めた．

イオン結合性が大きいと，分子中の電荷の分布が偏っているので，分子に双極子モーメント（dipole moment）が生じる．その分子を双極性分子（dipole molecule）という．

分子内で偏った電荷間の差をqとし，電荷の間の長さをrとすると，
双極子モーメントμの大きさは，$\mu = q r$
気体HFのような100%イオン性分子の場合は，$\mu = e r$
したがって，任意の分子のイオン性の程度は，$q / e \times 100$%になる．

双極子モーメントの単位D（debye）は，10^{-18}esu cm $= 3.33564 \times 10^{-30}$ C m，HFは1.98 Dで，H_2Oは1.85D，NH_3は1.49Dで，分子構造（36ページ）の効果が大きい．O_2やN_2のような同じ原子が結合したもの，またはCO_2やCCl_4のような対称性のある分子は，$\mu = 0$である．

（図：CO_2　$\mu = 0$ D，CH_3Cl　$\mu = 1.89D$）

Na$^+$ 　　　　　　　　　　Cl$^-$　（図：NaClの溶解）

イオンの結合水　　Bound water

水中では，イオンが解離しやすい．たとえば，NaClはイオン結晶だが，水中では双極子モーメントの大きい水分子がつくことによってNa$^+$とCl$^-$に分かれる．イオンに配向した双極子の回転をおさえるために，＋と－のイオン間の静電的引力が消費されてしまうからである．

水素結合   Hydrogen bond

　電気陰性度の大きい原子2個にはさまれた水素原子が，2個のうちの一方と共有結合しているとき，水素原子の部分的陽性ともう一方の原子の陰性との間に静電的引力が生じる．水素原子には余分な電子がないので静電力は効果的に働く．たとえば，2個の酸素原子にはさまれた軽い水素原子は，結合の伸縮振動でそのどちらの酸素原子とでも共有結合になりうるチャンスをもつ．そうすると，2個の酸素原子間の距離が縮むほうが安定状態になる．原子間の距離が縮むことは結合と同様とみなしてポーリングは水素結合（hydrogen bond）という語を提案したと伝えられている．

　イオン結合や共有結合と比べて水素結合の結合力は弱いが，分子間をつないで分子の集まりをつくるのに充分な強さがある．炭水化物，タンパク質，核酸などの高分子では，水素結合が分子の形を保つ役割を果たしている．

　酢酸の分子は，気体または四塩化炭素溶液では（つまり，解離していない状態では）2分子が水素結合で結ばれて安定な二量体をつくる．

酢酸の二量体

氷の結晶

水の水素結合   Hydrogen bond in water

　双極子の水分子が相互に水素結合でつながっているので，小さいH_2O分子なのに，沸点が高いし，比熱も大きい．水素結合が分子間のつながり方を決めてしまうので，氷になったとき分子間に空洞ができる．そのぶんだけ体積が増えて，氷は水よりも軽い．

　液体の水にも水素結合の網目でできた空間がある．その空間は球形のメタン分子CH_4やキセノン原子Xeをおさめうる大きさがある．また，アルコールと水を混合したとき，それぞれの元の体積を足し合わせた値より少し小さい値になること（volume contraction）を模型でも示せるだろう．

錯イオンとキレート化合物　Complex ion and chelate compound

　金属原子または金属イオンを中心に，ほかの原子または原子団が結合した複雑なイオンを錯イオンとよんでいて，これについての知識は化学の発展の中で大きい役割を果たしてきた．錯イオン同士または，錯イオンとほかのイオンが結合してできた塩を錯塩という．遷移金属群の原子を中心にもった錯塩がよく知られている．

　2種以上の塩が一定の割合で結合しているが，水に溶けたとき単純な成分イオンに解離する場合は複塩という．ミョウバン $KAl(SO_4)_2 \cdot 12H_2O$ はその代表といえる．

　コバルト原子 Co の電子配置は $1s^2$, $2s^2$, $2p^6$, $3s^2$, $3p^6$, $3d^7$, $4s^2$ であるが，3p より内側の軌道はそれぞれ2個ずつの電子で充たされている．3d の5個の軌道には電子が10個まで入りうるが，Co の 3d には7個しかないので，2個の軌道は2個ずつの電子で占められているが残りの3個の軌道には電子は1個ずつしかないので常磁性である．

　Co^{3+} イオンでは，$3d^2$ 中の電子1個と，$4s^2$ の電子が離れている．常磁性である．

　$CoCl_3$ にローンペア電子をもったアンモニア NH_3 を加えると錯塩ができて，電子配置は $3d^{10}$, $4s^2$, $4p^6$ になり，すべての電子軌道を2個ずつの電子が占めるので反磁性になる．

　$[Co(NH_3)Cl_3]$ では3個の Cl は共有結合していて，$[Co(NH_3)_6]Cl_3$ でもイオン結合した3個の Cl^- イオンをもっているが，Co は6個の配位子をもっている（6配位）．

　この錯塩分子の立体構造では，Co 原子を中心に，各配位子は正八面体の頂点方向についている．そうなる理由は，$3d^2$, $3d^2$, $4s^2$, $4p^2$, $4p^2$, $4p^2$ の6個の軌道が混成して，正八面体の各頂点に向う6個の電子雲（d^2sp^3 混成）をつくっているからだと説明されている．

錯塩形成の変化	ここは変わらない	ここが変わる
Co	$1s^2$, $2s^2$, $2p^6$, $3s^2$, $3p^6$, $3d^2$,	$3d^2$, 3d, 3d, 3d, $4s^2$, －
Co^{3+}	$1s^2$, $2s^2$, $2p^6$, $3s^2$, $3p^6$, $3d^2$,	3d, 3d, 3d, 3d, － －
仮想 $CoCl_3 + 3\,NH_3$	$1s^2$, $2s^2$, $2p^6$, $3s^2$, $3p^6$, $3d^2$,	$3d^2$, $3d^2$, $3d^2$, $3d^2$, $4s^2$, $4p^6$
$[Co(NH_3)_3Cl_3]$	$1s^2$, $2s^2$, $2p^6$, $3s^2$, $3p^6$, $3d^2$,	$3d^2$, $3d^2$,　　d^2sp^3 混成軌道

$[Co(NH_3)_3Cl_3]$　　　　　　　　$[Co(H_2N\text{-}CH_2\text{-}CH_2\text{-}NH_2)_3]$

キレート化合物　　Chelate compound

　42ページのアンモニアの代わりに，2個の配位基をもつエチレンジアミンを使うと，強く結合する．そういう2個以上の配位基をもっていて，金属を含む複素環をつくるものをキレート剤，できたものを金属キレート化合物という．金属イオンの分析に好都合な，多くの試薬がつくられている．

カルシウムを結合したEDTA　　　　　　　　　　　　開いた形のEDTA

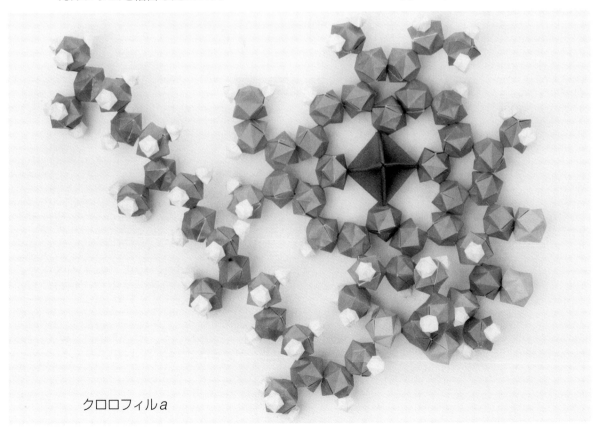

クロロフィル*a*

錯イオンとマスキング　Complex ion and masking

　塩分おもにNaClを含んだ水を，硝酸銀AgNO₃溶液で滴定して，塩化銀AgClが沈殿し，その沈殿に光をあてると黒い銀ができる化学反応は，中学の理科の実験で見た人は多いでしょう．一方，硝酸銀溶液にアンモニアを加えてから，NaCl溶液を加えても，AgClは沈殿しない．$Ag(NH_3)_2^+$ができていて，AgClの溶解度積 $1×10^{-10}$ を超えられないほどにAg^+イオンの濃度が低くなっているからである．この場合，NH_3によるマスキングという．

　なお，NaClの代わりにKIを使うと，AgIの溶解度積$1×10^{-16}$が小さいのでAgIの沈殿ができる．

　金属イオンのマスキングは，錯塩形成による場合が多い．キレート剤も使われる．

　多種類の金属イオンが共存すると，イオンが識別困難な場合がある．たとえば，Ca^{2+}を定量したいときに，トリエタノールアミンがFe^{3+}，Al^{3+}，Mn^{2+}に対するマスキング剤に使える．Cu^{2+}，Ni^{2+}，Co^{2+}，Zn^{2+}，Cd^{2+}などは，KCNをマスキング剤として加えることでEDTAとの結合が阻害できて，Ca^{2+}の定量ができる．また，Cd^{2+}をCdSの黄色の沈殿にして検出するには，Cu，Ni，Coなどの溶解度積の小さい硫化物ができると障害になるが，KCNを加えておくと，CdSだけが沈殿する．

キレート滴定　Chelatometric titration

　金属と結合したとき色が変わるキレート剤がつくられ，それは，1個の分子の中に色素部分とキレート部分をもっている．たとえば，水の硬度について，Ca^{2+}がエリオクロムブラックT（eriochrome black T）と結合すると赤色になる．それを，色はないがCa^{2+}とより強く結合するEDTA溶液で滴定して，色が青に変わる量が当量点になる．

　このような金属指示薬（metal indicator）が，分析したい金属の種類に対して多種類つくられている．

EBT-Ca²⁺ （エリオクロムブラックT）

吸光度　　Absorbance

　紙を1枚とおしてくる光の量が半分になるとしよう．2枚重ねると$1/2 \times 1/2 = 1/4$，3枚では$1/2^3 = 1/8$，4枚なら$1/16$，n枚なら$1/2^n$．つまり，透過光量の負の対数を取ると紙の枚数nに比例することになる．

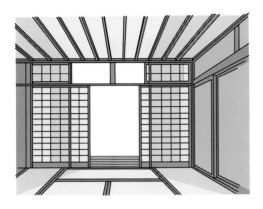

障子をとおして入る光と，散乱光

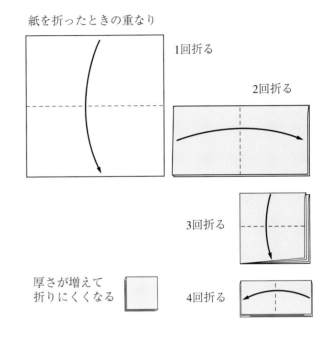

紙を折ったときの重なり

1回折る

2回折る

3回折る

厚さが増えて
折りにくくなる

4回折る

　紙の枚数の代わりに，色のついた溶液を一定の波長の光がとおるとすると，吸光度は，

$$\log(I_0/I) = Kbc$$

ただし，I_0は入射光強度，Iは透過光強度，bは通過距離，cは濃度，Kは比例定数．この式は，光の通路の長さbについてはランベルト（Lambert）の法則（1768）とよばれていたが，先にブーゲ（Bouguer）が発見（1729）していたことがわかってブーゲの法則とよばれるようになった．濃度cについてはベール（Beer）の法則で，両方含んだ上の式はブーゲ・ベールの法則といわれる．

　濃度cをmol/dm^3としたときのKはモル吸光度（molar extinction coefficient）とよばれる溶質固有の値で，通常εで表す．

　実際には液に濁りがあったり，あまり濃い溶液だったりすると，式のような比例関係が成り立たないので，吸光度1くらいまでの薄い溶液で測定する．昔風の部屋の紙障子の散乱光の明るさを思ってみると，いろいろと条件がありうることがわかるだろう．また，測定器，たとえば，分光光度計では，左辺の対数を表示する代わりに右辺の濃度c相当の吸収強度を表示しているので，吸光度1でとおってくる光の量はすでに$1/10$になっている．かりに$1/1000$の散乱光があれば，吸光度2では，10％の誤差を含む可能性がある．

　紙を1枚ずつ重ねる代わりに，紙を折るとすれば，1回折ると透過光は$1/4$，2回折ると$1/16$，3回折ると紙は8枚重ねになるので透過光は$1/2^8$になる．分子模型の折り紙では，紙があまり重くなると，分厚くなって折れないので，紙の重なりが邪魔にならないような折り方を考えた．

吸収スペクトル　　Absorption spectrum

　特定の波長の光をより多く吸収することで色が現れる．波長による吸光度の変化を吸収スペクトルといい，横軸に波長をとり，縦軸に吸光度をとった吸収曲線は物質の性質を示すものになる．可視部から紫外部にかけての吸収スペクトル中の一つの山は，何かの分子構造中の電子配置の状態が光を吸収することに対応しているはずだが，常温では分子構造のゆらぎに応じた広がりがある．低温にするか結晶にするとシャープな吸収帯が観測される．もちろん，単一の分子に同時にいろいろな状態があるのではなく，いろいろな状態になった分子がたくさんあって，それぞれ少しずつずれた波長の光を吸収しているのだろう．

　溶液の吸収帯が広がる原因には，溶媒との相互作用による効果も含まれている．色素を水に溶かしたときと，乾いたときで色が違うのはよく経験する．極性の大きい溶媒中では溶質分子がイオン化しやすく，溶媒和があるので，吸収スペクトルにもわずかなズレが生じる．極性の違う2種類の溶媒に溶かした同濃度の色素の溶液の，一方を基準にしてもう一方のスペクトルを観測する，つまり，差スペクトルを観測すると，溶媒和の程度やスペクトルに対する溶媒効果を検出できる．たとえば，タンパク質分子の内部にかくれているトリプトファン残基は溶媒を取り換えても吸収スペクトルは変化しないが，分子の外に露出しているトリプトファン残基の数はエチレングリコールを混ぜた溶媒を使ったときの差スペクトルの変化から算出できる．

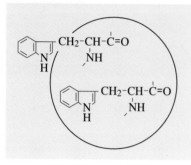
エチレングリコール溶液中の
タンパク質分子

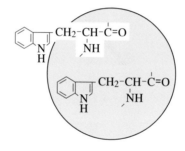
−　　水溶液中のタンパク質分子

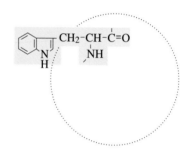
＝　　差スペクトル

水溶液中で変性したタンパク質分子　　−　　水溶液中のタンパク質分子　　＝　　差スペクトル

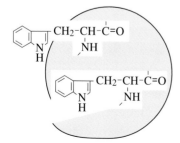

吸着量と粒子の表面積　Adsorption and surface area

　物の表面に気体や溶質の分子が吸着するとしたら，吸着量は表面積に比例するだろう．コロイドのような小さい粒の集まりに吸着する物質の量が大きいことを折り紙で示してみよう．まず，折り紙を3色使って立方体を折る．

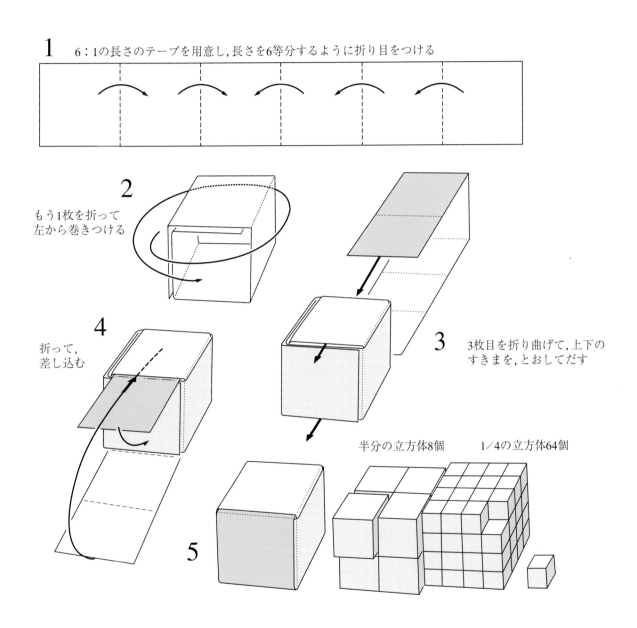

1 6：1の長さのテープを用意し，長さを6等分するように折り目をつける

2 もう1枚を折って左から巻きつける

3 3枚目を折り曲げて，上下のすきまを，とおしてだす

4 折って，差し込む

5 半分の立方体8個　　1／4の立方体64個

　つぎに，それぞれ半分のサイズの紙で，8個の立方体を折ると，表面積の合計は2倍になっている．紙をさらに半分にすることを繰り返すと表面積はどんどん大きくなる．吸着剤の重さ当たりの吸着量は，単位面積当たりではわずかでも，表面積を広げると大きくなる．吸着剤として実際に使われているものは，もともと多孔質か，またはコロイド状の物質が多いので化学の教科書には面積の効果が書かれていないのがある．

植物の体は小さい細胞の集まりで，その細胞の壁はおもに炭水化物のセルロースでできている．焼いて炭素だけが残った活性炭には，細胞と細胞壁由来の微細な孔がたくさんあるので，表面積が非常に大きい物質であるといえる．

模型のつくり方　　How to make a model

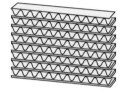

1　段ボールを一定の幅で細くきざむ．
段ボールの穴がつぶれるので鋏は使わない．
カッターナイフがよい．

2　たくさん，はり合わせると穴のあいた板ができあがる

3　この板で箱をつくって，積み重ねる

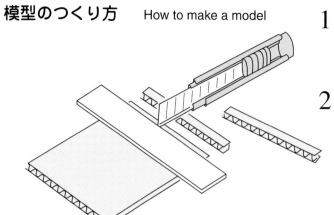

　固相触媒の表面を使う不均一反応では，反応物の気体分子が触媒面を覆う率を θ とし，その気体の圧力を P とすると，
吸着速度 r_a は　$r_a = k_a P(1-\theta)$ で，脱着速度 r_d は　$r_d = k_d \theta$ で表せる．
ただし，k_a は吸着の速度定数，k_d は脱着の速度定数．
反応が一定速度で続いている定常状態では　$r_a = r_d$ になっているから，
$\theta = (k_a / k_d) P / (1 + k_a P / k_d)$　　これはラングミュア（Langmuir, 1932）の等温吸着式である．
　この式は，溶液反応の場合には，圧力の代わりに濃度 c を用いても適用できるが，溶液中では分子の拡散速度も遅く，溶媒和で分子も大きくなってしまうので，触媒面の微細な構造も影響するかもしれない．

肺のモデル　　Model of lung

　一方，動物の体では，酸素や二酸化炭素が肺の細胞をとおるときは，面積当たりの通過量は動物の種類によってそれほど大きい差はない．空気に触れる細胞の表層が水なのでそうなるのだろう．皮膚呼吸に依存する量が多い両棲類（たとえば，カエル）の肺は，2個の大きい袋の内側に少し襞があって，ただの球面の2倍程度の面積になっている．乾燥期に動きの少ない肺魚類の浮袋には，こんな襞はない．爬虫類の肺はもっと複雑に襞がふえて陸上の呼吸に適している．常時呼吸量の多い哺乳類の肺では，太い気管が2個に分かれて左右の肺に入り，その先で順次細かく枝分かれした小気管の先に，小さい袋状の肺胞がたくさんついていて，全体が2個の肺の形をつくっている．ヒト一人分の肺胞の内側の面積は100m²程度（テニスコートの半分か？）もあるそうだ．なお，血管は気管に添って肺に入り，細かく分枝して袋の壁の厚さの中に分布している．

　同様に，排泄成分を選択的にろ過再吸収している腎臓も，長くて細い管をたくさん集めた組織でできていて，透析が行われる面積が大きい．

（肺のモデル図：浮袋，両棲類の肺，爬虫類の肺，哺乳類の肺）

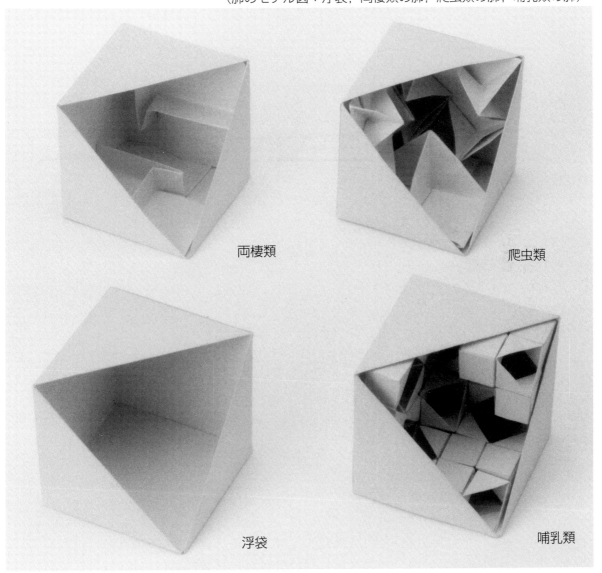

両棲類　　　　　　　　爬虫類

浮袋　　　　　　　　哺乳類

立方体の角を切る　　Cut off a corner of cube

　前ページの肺のモデルをつくるための折り方です．基本的には47ページの立方体と同じ折り方なのに，この場合は10：1の長いテープ1本で折ります．

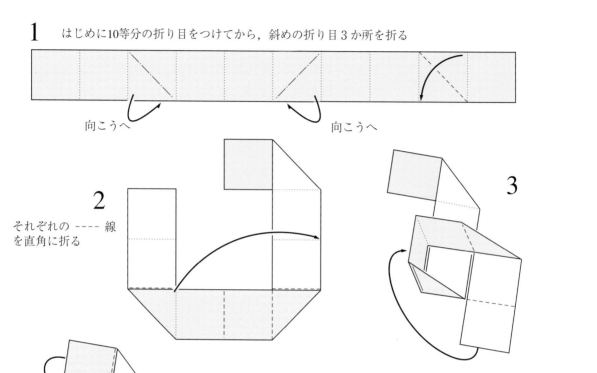

1 はじめに10等分の折り目をつけてから，斜めの折り目3か所を折る

向こうへ　　　　向こうへ

2 それぞれの ---- 線を直角に折る

3

下へ，回して先をすきまから，こちらへだす

4

5

哺乳類の肺胞模型は幅1.5cmのテープで，たくさん折って積み重ねる

両棲類の肺内面の襞　　Inside plaits of amphibious lung

　紙から立ちあがった襞を折る方法です．

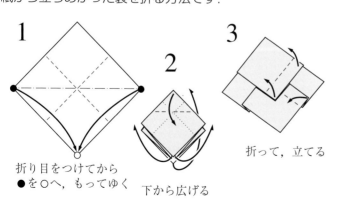

1 折り目をつけてから
●を○へ，もってゆく

2 下から広げる

3 折って，立てる

4 1枚の紙に，何か所も同様に折ると，立体的な表面ができます．これを，上の箱の内面につける．

爬虫類の肺内面の襞　Inside plaits of reptilian lung

左下のよりも襞の数を多くしました．　左の箱の中に，はめ込む．

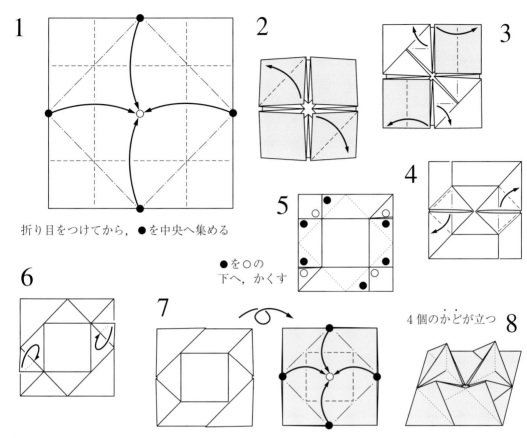

折り目をつけてから，●を中央へ集める

●を○の
下へ，かくす

4個のかどが立つ

小胞体　Endoplasmic reticulum

　真核生物の細胞の中には，多くの膜構造があり，その膜に酵素分子などがついていて，化学反応を触媒しながら，膜は代謝成分を分離し，膜をとおしての輸送も行われている．たとえば，小胞体は電子顕微鏡では扁平な袋に見えるが，立体的に空間を2個に分ける網目状の構造である．簡便につくりたいときは立方体の積み重ねでもできるが，どちらかといえば18ページの正五角形をたくさんつないでつくるほうが，それらしいものになる．

（小胞体）

放射能の半減期　Period of half decay

　放射性の元素は放射線を出して別の元素に変わる．一つの原子がいつ，放射線をだすのかはわからない．たくさんの原子が集まっていると，確率的に原子の数に応じた量の放射線が観測される．放射線がでる数はつねに，残っている原子の数に比例している．ある時間かかって半分に減ったとすると，さらにその半分になるには同じ時間がかかることになる．その時間を半減期という．右ページの8のようなグラフになる．

　たとえば，$^{238}_{92}U$が半分に減って安定な$^{206}_{82}Pb$になるのに$4.5×10^9$年かかる．鉱石中の$^{238}_{92}U$と共存する$^{206}_{82}Pb$の量を測ることで，地球の年令47億年が求められた．この場合，残っている原子の数は$N=N_0\exp(-\lambda t)$ ただし，N_0は時間0のときの原子の数，λは壊変定数，tは時間．なお，半減期は　$\tau=0.693/\lambda$である．

　折り紙でつぎのようにしてみよう．

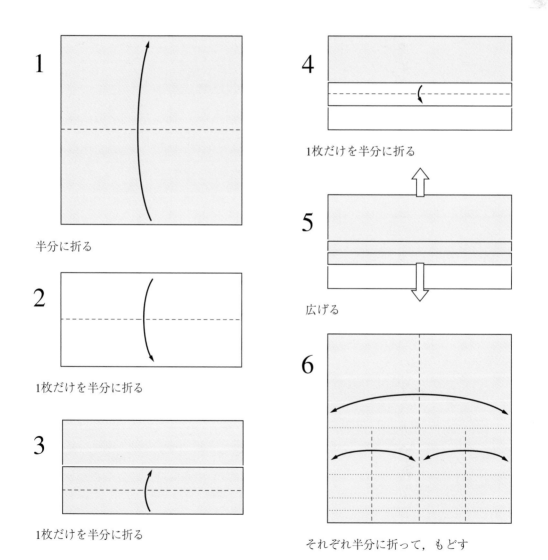

1　半分に折る

2　1枚だけを半分に折る

3　1枚だけを半分に折る

4　1枚だけを半分に折る

5　広げる

6　それぞれ半分に折って，もどす

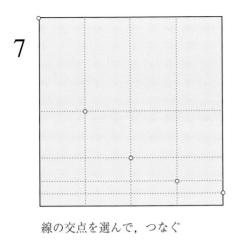

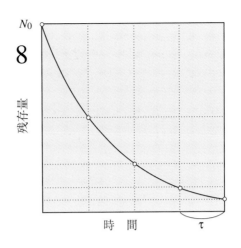

線の交点を選んで，つなぐ

　グラフの点の数を多くして描きたいときは，一定時間ごとに元の3／4とか7／8になるとしても同じことなので，つぎのように折るとよい．一種の等比数列の折り方になる．なお，半減期の考え方は化学反応速度の解析にも用いられている．元の1／eになるまでの時間は平均寿命ともいわれている．

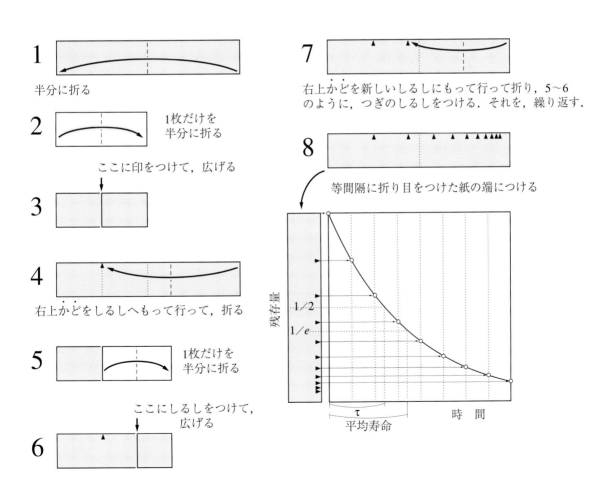

有機化学　　Organic chemistry

　炭素原子の最外殻電子が4個の共有結合をつくるので，たくさんの炭素原子が集まった多種類の化合物ができる．先のページにも模型を描いたが，この折り方はより簡単につながりの方向を示せるような構造式に対応する．ただし，炭素原子の$1s^2$，$2s^2$，$2p^2$軌道ではなく，1個の炭素原子がほかの原子と共有結合して，$1s^2$の外に$2sp^3$混成軌道をつくっている場合を示している．紙は表裏同色．

メタン分子　　Methane molecule

　折り方がわかりやすいように，図では紙の表に網点をつけた．

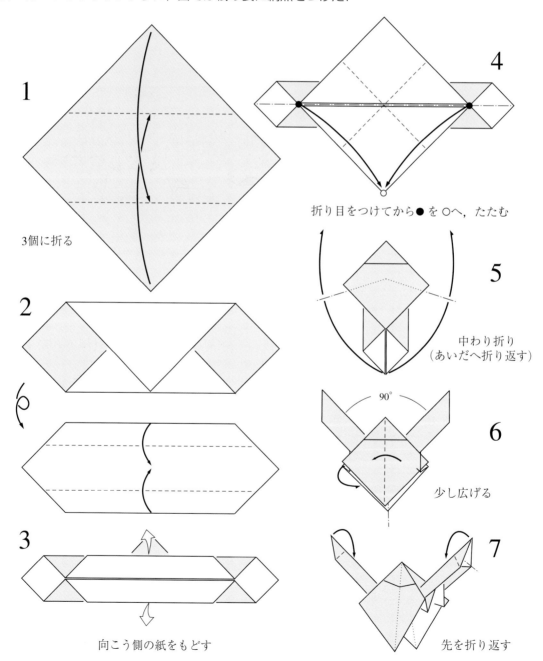

1 3個に折る

2

3 向こう側の紙をもどす

4 折り目をつけてから ● を ○ へ，たたむ

5 中わり折り（あいだへ折り返す）

6 90° 少し広げる

7 先を折り返す

8　同じものを，もう1個折って組み合わせる

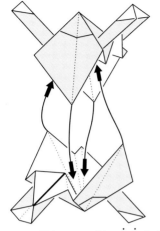

互いに90°ずらして，紙のかどを内側に差し込む

H：1s

sp³

C：1s²

この折り方の6では，角度が90°に開いているが，できあがると，角はしぜんに正四面体の頂点に向かい，間の角度は109°28'に近くなっている。
たくさん折って，角の部分を互いに差し込んでつなぐと複雑な有機化合物の構造式が示せる。

つなぎ方

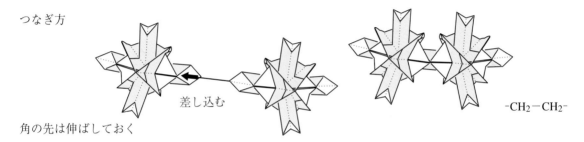

差し込む

角の先は伸ばしておく

-CH₂-CH₂-

$-CH_2-CH_2-$

芳香環の組み立て方　How to make an aromatic ring

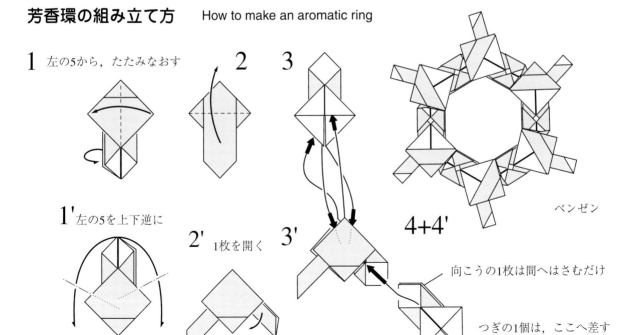

1　左の5から，たたみなおす

2

3

1'　左の5を上下逆に

2'　1枚を開く

3'

4+4'

中わり折り

向こうの1枚は間へはさむだけ

つぎの1個は，ここへ差す

ベンゼン

有機化合物の分類　Classification of organic compound

　炭素原子のつながり方をもとにした場合，つぎのように分類されている．炭素鎖が閉じた環になった場合に化学的性質が少し変わるので，鎖と環が区別される．

　鎖式化合物は脂肪族ともいわれ，炭素鎖1本の場合と枝分かれがある場合も含まれる．炭素鎖にほかの原子が結合している場合も，この分類ではここに入れている．

　環状に連なった部分があれば環式化合物とし，不飽和の環をもった芳香族炭化水素は特別扱いされ，飽和した環は脂環式化合物という．環の構成に炭素以外のN，O，Sなどが含まれている場合は複素環式化合物とよんでいる．

　どちらかといえば歴史的にそうしてきたということかもしれない．

　化学的性質を際立たせるのは，特定の原子または原子団による場合が目立つので，官能基によって分類している教科書が多い．

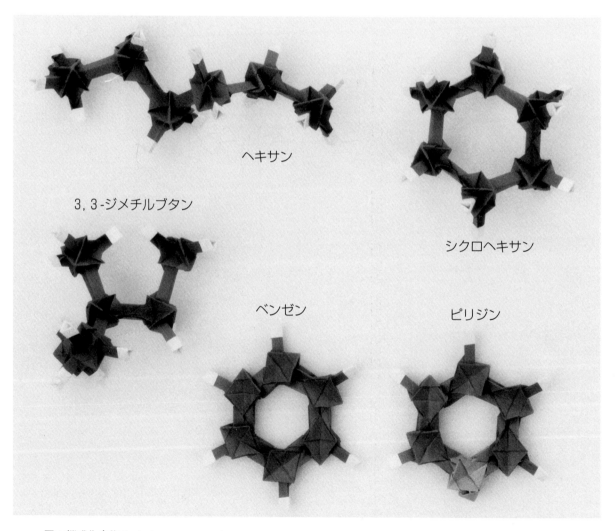

ヘキサン

3, 3-ジメチルブタン

シクロヘキサン

ベンゼン

ピリジン

図：鎖式化合物：chain compound　　　　　　　　　　　　　　　　　　　：左の2個
　　環式化合物：cyclic compound‥‥‥‥炭素環式化合物‥‥‥‥脂環式化合物：alicyclic compound　：右上
　　　　　　　　　　　　　　　　　　　　　　　　‥‥‥‥芳香族化合物：aromatic compound：下中
　　　　　　　‥‥‥‥複素環式化合物：heterocyclic compound　　　　　　：下右

水素原子を強調した模型　Add the hydrogen atoms

　模型の角の先を折り返しただけでは存在感が不足するので，角の先に水素原子をつけることにする．紙の色が違うほうがはっきりするだろう．

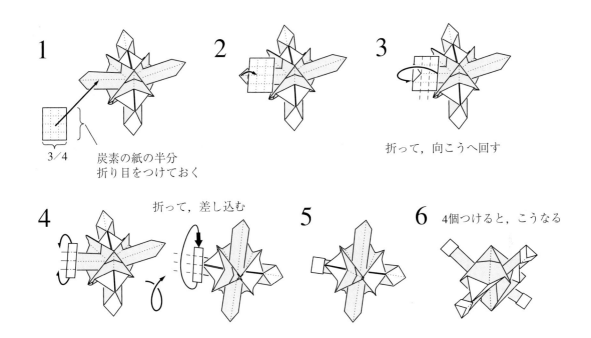

1
3/4　　炭素の紙の半分
　　折り目をつけておく

2

3
折って，向こうへ回す

4
折って，差し込む

5

6
4個つけると，こうなる

結合軸のまわりの回転　Rotation on bond-axis

　立体配座の変化を模型で示すには，単結合の軸のまわりで回転できる必要がある．上の水素原子のつけかたで，角を短くしてから，同じ色の紙で水素原子相当の紙をつける．つぎに，角の穴を六角形の穴に折って，つぎの炭素原子の角を差し込む．そうすると，回転できる．ただし，つながりが外れやすいので，回転させる必要のない模型には使わないほうがよいだろう．

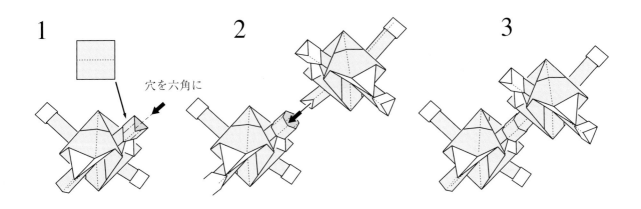

1
穴を六角に

2

3

異性体　　Isomer

　分子式が同じでも性質の異なるものが多数ある．それを異性体とよんでいる．構造異性体（structural isomer）は，構造式で区別でき，したがって化学的性質の違いもある．連鎖異性体，位置異性体，官能基異性体などが識別できる．構造式で違いの表現が困難なのが立体異性体（stereoisomer）で，立体構造の違いから，幾何異性体と光学異性体が識別されている．

連鎖異性体　Chain isomer

　4個の炭素原子がつながったブタンの異性体はつぎの2種類だが，もっと炭素数が多くなると，枝分かれの仕方がいろいろできるので，とんでもない数の異性体が存在しうる．たとえば，炭素数10個で75種類，20個では366,319種類あるという人もある．

ブタン　　　　　　　　　　　　　　イソブタン（メチルプロパン）

位置異性体　Position isomer

　ベンゼン環に2個の置換基が入っているとき，置換基相互の位置関係はortho-，meta-，para-の接頭語をつけて表される（o，m，pと省略）．

　IUPAC（国際純正・応用化学連合方式）の命名では，官能基の順位と基本になる構造式とを決めておいて，その順位に従って位置関係を表す．たとえば，m-クレゾールは3-メチルフェノールである．位置によって官能基の反応性に微妙な差があるが，生理作用では大きい違いがあったりする．また，合成するときの難易の程度や合成経路の違いがある．

o-クレゾール　　　　　　　　　m-クレゾール　　　　　　　　　p-クレゾール

二重結合の位置，置換基の位置などによって識別される位置異性体もある.

二重結合の位置についての異性体：1-ブテン　2-ブテン

2-メチル-
1-プロペン

官能基異性体　Functional isomer

　アルコール性ヒドロキシ基（R－OH）をもったエタノールと，エーテル結合（R－O－R'）をもったメチルエーテルの分子式はともにC_2H_6Oで表される. この本には示してないが，酢酸とギ酸メチル，酢酸メチルとプロピオン酸（プロパン酸），アセトン（プロパノン）とプロパナール（プロピオンアルデヒド）などの組合せもある. このような，分子式が同じで官能基が違う例を探すと結構たくさんあるらしい. 炭素化合物の多様性を示す例で，構造や官能基について解説したり，それらを理解させるための試験問題には好都合な例でもあった. しかし，相互に変換できるものでもないので，別の化合物と考えたほうがよい.

エタノール

ジメチル
エーテル

幾何異性体　Geometrical isomer

　二重結合の炭素原子間はπ結合（37ページ）があり，結合軸のまわりの回転が自由ではないので，*cis*-2-ブテンと*trans*-2-ブテンの異性体ができる.

　二重結合の両側にいろいろな置換基がついていると，どれを基準にして*cis*-とか*trans*-を決めるのに困るだろう. その場合はCahn-Ingold-Prelogの優先順位則を用いて，優先順位の高いものから選んで，それらが同じ側にある場合を*Z*（zusammen），反対側にある場合を*E*（entgegen）と表示する. たとえば，*cis*-2-ブテン（*Z*-2-ブテン）の二重結合にあずかる炭素原子についた水素原子の1個が塩素に置き換わっているときは，メチル基については*cis*-だが，*E*-2-ブテンということになる（つまり，*trans*-）.

　なお，上記の優先順位は原子番号の大きい原子を優先し，同じ元素の場合はさらにそれについた最高優先の元素が優先し，同位元素の場合は質量数の大きいほうを優先する.

cis-2-ブテン

trans-2-ブテン

光学異性体　Optical isomer

　乳酸の分子の中央の炭素原子には4種類の基H-，CH₃-，-COOH，-OHがついている．その立体的な配置では図のように鏡像関係になる2種類の分子構造が存在することになる．こういう炭素原子を不斉炭素原子またはキラル中心という．模型で見るとわかりやすいが（実際につくってみるほうがよい），記述はしにくい．

　記述にはフィッシャー（Fischer）投影法という約束ごとが使われる．この規約では，不斉炭素原子は紙の面の中にあるとして，左右の基は紙面からこちらへでていて，上下の基は紙の後ろへでていることにしている．

　透視図の代わりには，一部の結合を示す線をくさび形にして手前にでていることを表し，向うへでていることを先が細いくさび形かまたは点線で表している（下，左の図）．

　立体配置を文字で表すために，前記のCahn-Ingold-Prelogの優先順位を用いる方法がある．最低順位の水素原子をキラル中心の向う側に置いたとすると，残りの3個の基が中心のまわりにくるだろう．そのとき，最高位の基からみて2番目の基が時計まわりになるのを右 *R*（*rectus*）と表し，反時計まわりになれば左 *S*（*sinister*）で表す．この表示は絶対立体配置といわれる．実際の旋光性とは必ずしも一致はしない．

S　　　　　　　　　　　　　　　　　　　　　　　　　　*R*

乳酸の分子模型

　キラル中心（または，不斉炭素原子）をもつ化合物は通常，直線偏光の偏光方向を回転させる．回転の方向で右旋性＋または *d*，左旋性−または *l* で表す．なお，通常といった理由は不斉炭素原子が2個あるような化合物で，2個の不斉炭素原子の間に対称面があると旋光性がなくなるからである．

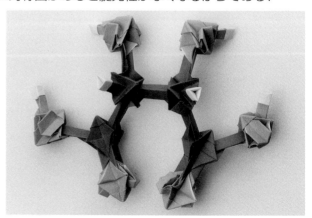

旋光性のないメソ酒石酸

不斉炭素原子が1個の化合物でも，化学合成すると右旋性と左旋性の成分が等量できて見かけ上は旋光性が失われたラセミ体という混合物ができる．ただし，ラセミ体は手間をかければ分割できる．どちらか一方をつくる不斉合成の方法も研究されている．なお，生体内で合成されるときには，酵素分子に結合された状態で合成されるので*d*か*l*のどちらかだけが生産されている．

炭素原子でなくても正四面体の各頂点に向う方向に異なった4種類の基がついていると光学活性になる．ケイ素，ゲルマニウムなど4価の原子でそうなる．リンや硫黄原子でも非共有電子対が4種類の置換基のうちの1個分の役割を果たしている場合は光学活性になる．

立体障害　Steric hindrance

分子構造上，分子全体が対称面をもたない場合がある．たとえば，ビフェニルのortho-位置に大きい置換基があるとき，その立体障害によって2個のベンゼン環の間がねじれて非対称形になるので光学活性である．そういう分子を回転異性体ということもある．

2,2'-ジニトロ-6,6'-ジカルボキシビフェニル

立体配座　Conformation

炭素間の単結合は自由回転できる．ところが，ブタンの両端の-CH₃間が弱い立体障害をもつと考えると，鎖の方向から見たときには図のように1と4の-CH₃が最も遠くなるときが安定と考えられる．ただし，その構造のものが取りだせるわけではない．単結合のまわりの空間配置をコンホーメーション（立体配座）という．

分子間の結合力があって結晶化するような場合には，特定の形の分子が集積されうる．水晶には左水晶と右水晶が存在する．タンパク質分子を構成するアミノ酸は不斉炭素原子をもっているが，大きい分子内に規則的に繰り返すコンホーメーションがあるので，それらのコンホーメーションによって生じる旋光分散や円偏光二色性が近紫外部で観測される．

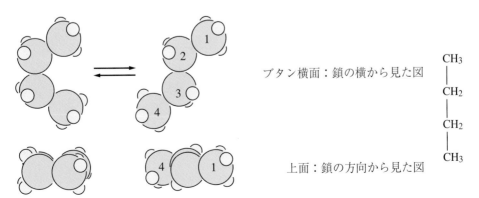

ブタン横面：鎖の横から見た図

$$CH_3 - CH_2 - CH_2 - CH_3$$

上面：鎖の方向から見た図

官能基による分類　Series on functional group

　共通の官能基があることで有機化合物を分類している．同じ官能基があることで特徴づけられる一群を同族列（homologous series）という．右ページに，炭素数3個の化合物を代表に選んで，いろいろな官能基を紹介する．空間を満たす模型にしたがって28ページの解離していないときの原子の大きさでつくってある．原子の大きさは分子内の電荷の分布や解離した場合，または38ページのπ電子がある場合も，これとは変わっているはずなので，より精密な模型も試してみてほしい．なお，前ページのような構造式表現の模型もつくってみるほうがよいでしょう．

模型の組立

　これに使う粒子のつくり方は20ページ．中に発泡スチロールの切屑を詰めてある．

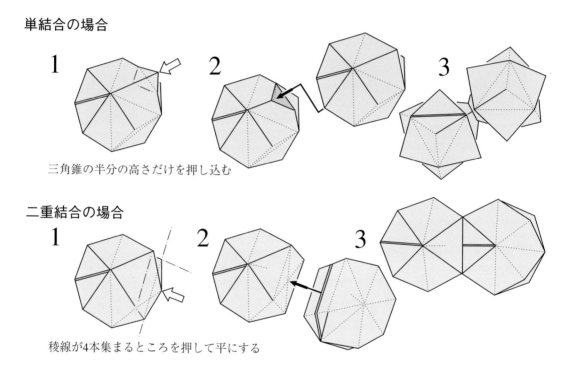

単結合の場合

三角錐の半分の高さだけを押し込む

二重結合の場合

稜線が4本集まるところを押して平にする

ベンゼン環の場合

この模型も，上の二重結合の場合も，押し込む分量が多いので，少し大きい1.1倍くらいの紙がよい

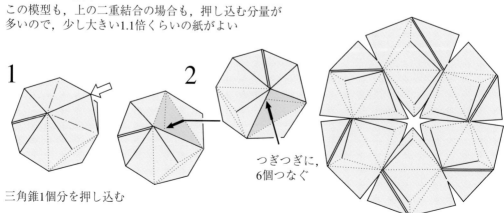

三角錐1個分を押し込む

つぎつぎに，6個つなぐ

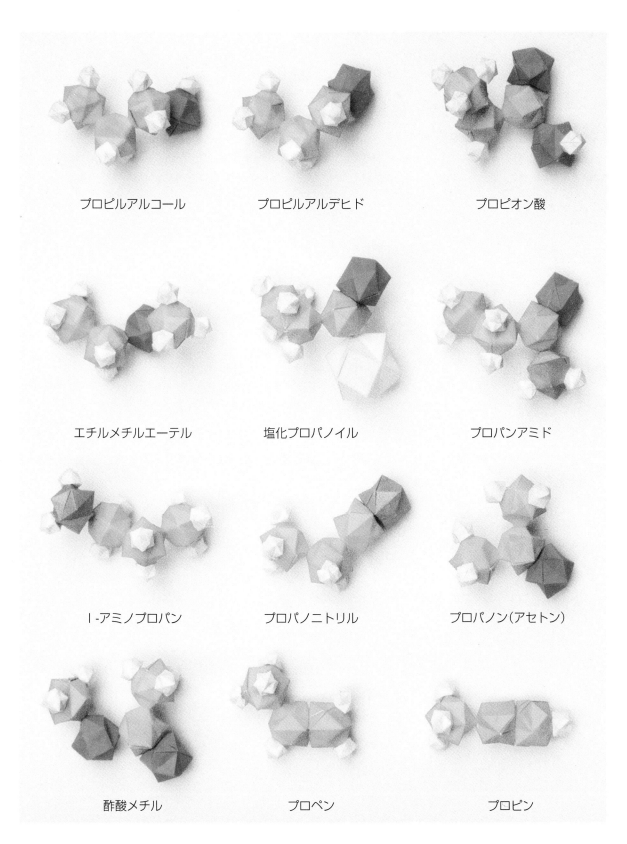

プロピルアルコール

プロピルアルデヒド

プロピオン酸

エチルメチルエーテル

塩化プロパノイル

プロパンアミド

1-アミノプロパン

プロパノニトリル

プロパノン(アセトン)

酢酸メチル

プロペン

プロピン

ほかによくでてくる官能基には-SO_3H，-SH，-F，-Br，-I，-C_6H_5，NO_2 などがある.

いろいろな有機化合物の例

有機化合物の種類は非常に多いので，とても示しきれないが，読者の皆様があの模型をつくりたいと思われたときの参考になりそうな例を集めておく．

アルコールとフェノール　Alcohols and phenols

ヒドロキシ基があるので，水素結合によって融点，沸点が高くなっている．溶媒や化学原料として利用が多い．エタノール（59ページ）だけが飲める．フェノールのヒドロキシ基はアルカリ性にすると解離する．ピクリン酸は，まともに酸になっている．フラボノイドは植物界に普遍的に存在する．ギンケチンはイチョウの心材だけにある二重分子フラボノイドである．二重分子フラボノイドはCH_3O-の位置が異なるものがマツの仲間を除いたすべての裸子植物に存在するが，被子植物にはない．

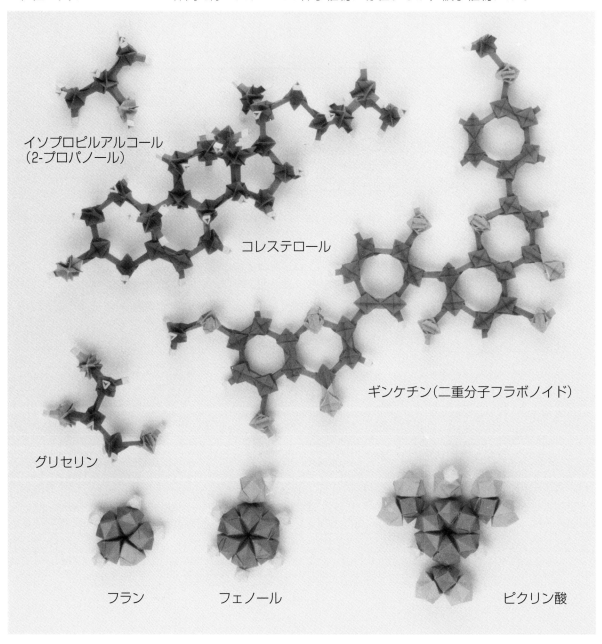

イソプロピルアルコール
（2-プロパノール）

コレステロール

ギンケチン（二重分子フラボノイド）

グリセリン

フラン　　　　フェノール　　　　　　　ピクリン酸

アルデヒドとケトン　Aldehydes and ketones

　低分子のアルデヒドの臭いは悪いが，少し大きい分子のアルデヒドとケトンには香料に使われるものが多い．アルデヒドもケトンもその酸素原子は水素結合の際に水素受容体になりうる．双極子能率は大きい．アルデヒドは酸化または還元されやすい．代表的なケトンのアセトンは63ページにある．ジャコウ（3-メチルシクロペンタデカノン）には，香水の調合では香気そのものと同時に，香気の保持剤と運搬剤の役目がある．

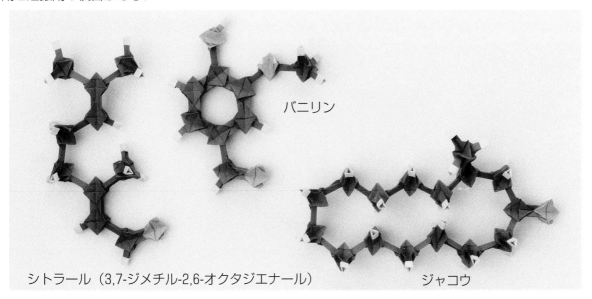

バニリン

シトラール（3,7-ジメチル-2,6-オクタジエナール）　　　ジャコウ

カルボン酸　Carbonic acids

　官能基のカルボキシル基の中央の炭素原子の電子は，sp^2 混成軌道になっているので，炭素原子のまわりに120°の結合価角をもつ平面三角形になっている．共鳴混成体なので，水素原子は2個の酸素原子のどちらについているかを限定できないが，模型ではどちらか一方につけておく．水のある環境では解離できるが，水のないときにはカルボン酸は2個集まって水素結合による二量体が生じている（41ページの酢酸分子の二量体参照）．

　長い鎖状のカルボン酸（脂肪酸）は，生体内ではacetyl-CoA（87ページ）を使って合成されるので，炭素数は偶数になる．長い年月の間に脱炭酸して石油になるので，生物起源の石油は奇数個の炭素が主になるといわれている．

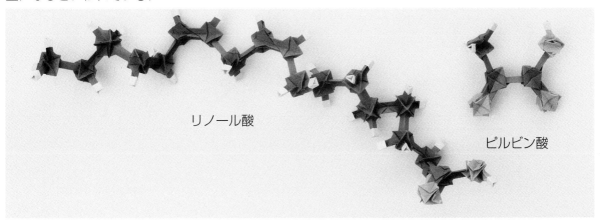

リノール酸　　　　　　　　　　　　　　　　　　　ピルビン酸

脂　肪　Fats

　脂肪酸のグリセリンエステル．グリセリンとリノール酸は構造式モデルで先に示した．長い鎖のリノール酸を３個つけた脂肪の構造式モデルは，あまりにも複雑になるので，正四面体をつないだ模型で示した．細胞中の油滴の中で，脂肪分子１個がどんな立体構造をとっているかは，この模型では示せてはいない．

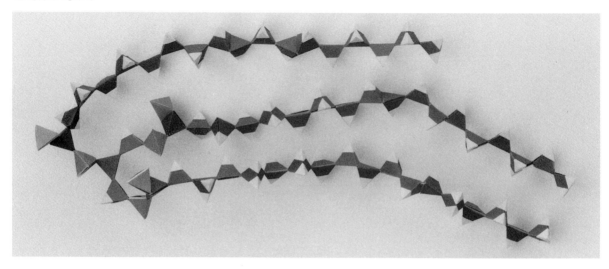

テルペン　Terpenes

　植物がつくる成分にイソプレン（C5）をもとにした多くの成分があり，イソプレン２分子の重合体にテルペン（C10）がある．さらにそのテルペン２分子の重合体相当の構造をもったジテルペン（C20）があり，炭素鎖の枝分かれの様子でそれとわかる．さらにキサントフィル類のルテイン（C40）がある．テルペンのシトラールは65ページ．ジテルペンのフィトールは43ページのクロロフィルaの側鎖部分．

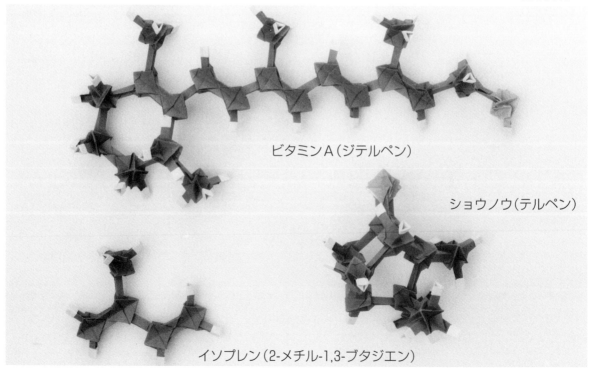

ビタミンA（ジテルペン）

ショウノウ（テルペン）

イソプレン（2-メチル-1,3-ブタジエン）

有機ハロゲン化合物　Organic halides

　天然には，ほとんど見いだせないが，甲状腺ホルモンのチロキシンはヨウ素を含んだ有機化合物で，そのほか，紅藻類の成分に臭素を含んだテルペンが発見されている．有機化合物の人工的合成の過程ではハロゲン化物がよく利用されている．また，殺虫剤には塩素を含んだ薬剤が多く使われてきた．

　ＤＤＴ〔1,1,1-トリクロロ-2,2-ビス(4-クロロフェニル)エタン〕は昭和20年（1945）日本の敗戦とともに占領米軍が大量にまいた殺虫剤であった．食物連鎖をとおして脂肪組織に蓄積されるので，現在では使われていない．

　ＢＨＣには異性体が多いが，殺虫力の強いリンデンの構造を示した．炭素環の周辺に向いた（この向きをエクアトリアルという）塩素原子が３個と，環の面に垂直に上下についた（アキシアルという）３個の塩素原子がある．

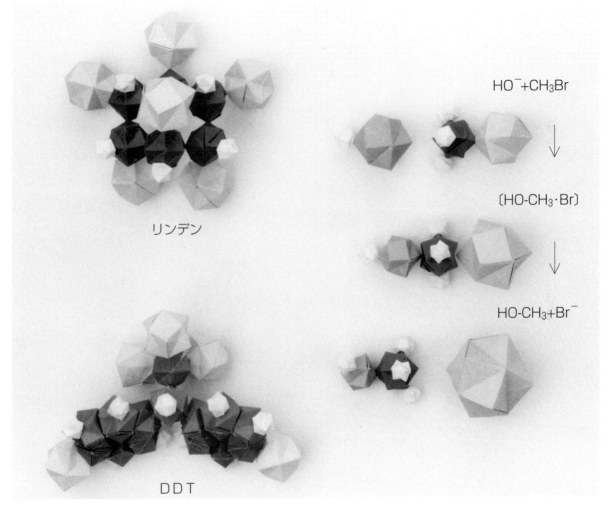

リンデン

DDT

$HO^- + CH_3Br$

↓

$[HO\text{-}CH_3\cdot Br]$

↓

$HO\text{-}CH_3 + Br^-$

　臭化メチルの水酸化ナトリウムによる求核置換反応の反応速度は，臭化メチルの濃度と水酸化物イオン濃度の両方に比例する二次反応（S_N2）である．

　求核試薬：水酸化物イオンは，臭素原子の電気陰性領域から遠い側（図では左側）から攻撃している．

（敗戦当時，大阪薬学専門学校生だった著者に，兄が大学で習ってきたばかりのDDTの構造式で当時使われていた表記法で書くと *p,p*-ジクロロジフェニル<u>ト</u>リクロロエタンを教えてくれたのがきっかけで，２年間にわたった有機化学と有機薬品製造学で100点を取りつづけた．その後，京都大学植物学科と大学院へ進学した後，大学で生物学を担当している間も何となく有機化学についての関心が消えなかった．大学の定年近くになってから，自分の手で難しい合成に成功する機会にも恵まれた．）

アミン　Amines

　アンモニアの水素原子がアルキル基に置換されている数をもとに，第一アミン，第二アミン，第三アミンとよばれる．アンモニアの窒素原子にはローンペア電子があり，それも結合に使われてアンモニウムイオン（第四アンモニウム塩基）が生じる．

　第四アンモニウム塩基をもったアセチルコリンは，運動神経のつながり部分（シナプス）で刺激を伝達する成分である．神経の軸索の末端の内側にある小胞に蓄えられ，刺激（電位変化）が伝わってくるとシナプス間隙部に放出され，狭い幅を拡散してつぎの神経の受容体に到達すると刺激が伝わる．アセチルコリンはそこでコリンエステラーゼ（酵素）で加水分解されてコリンと酢酸になる．この酵素の阻害剤は神経ガスとよばれる強力な毒ガスである．

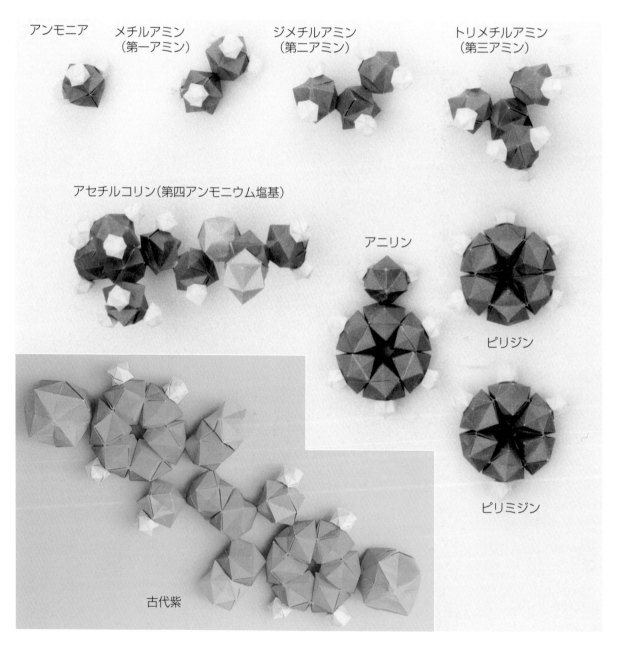

アンモニア　メチルアミン（第一アミン）　ジメチルアミン（第二アミン）　トリメチルアミン（第三アミン）

アセチルコリン（第四アンモニウム塩基）

アニリン

ピリジン

ピリミジン

古代紫

アルカロイド　Alkaloides

　植物起源の塩基性窒素化合物で生理作用がとくに強い成分をアルカロイドとよぶ．複雑な含窒素ヘテロ環状分子が多く知られているので，いくつかの例をあげておく．

　エルゴノビン ergonovine はライムギにつく麦角菌の成分で，パンに加工されていても，なお流産の原因になったそうだが，子宮収縮促進や難産による過度の出血を抑制する効果があるので医薬品として利用される．

　モルヒネ morphine はケシの果実の乳液からとれるアルカロイドの一つで，鎮痛剤だが，耽溺性があるので市販はされない．コデイン codeine はモルヒネのヒドロキシ基の一つがメトキシ基 CH_3O- に置き換わった成分．ヘロイン heroin はヒドロキシ基が 2 個ともアセチル基 CH_3CO- に置換された成分である．

　カフェイン caffeine はお茶の葉やコーヒー豆に含まれ，興奮剤で利尿作用もあるが，習慣性がある．

　ニコチン nicotine はタバコの葉に含まれる有毒成分で，バラにつくアブラムシを駆除できる．タバコ喫煙のはじめには，めまいや吐き気，消化不良，血圧上昇などを引き起こすが，短期間で習慣化して，やめられなくなる．

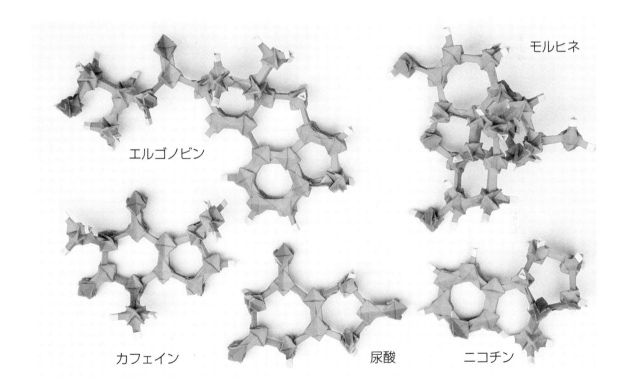

関連した化合物でも毒性はないのでアルカロイドとはいわないが，水の摂取量の少ない鳥や爬虫類は尿素の代わりに尿酸を多く排泄する．

　有機シアン化合物のアミグダリンamygdalinは，アンズ *Prunus armeniaca* L.の種子に含まれる配糖体で，体内で分解され，HCN＋ベンズアルデヒド＋グルコースになる．生薬名は杏仁で，咳止め，痰切りに使われる．このように，植物の未熟の種子や葉には，食べられてから青酸を発生する有毒成分が含まれている場合があるが，自然状態では，草食動物は死ぬ前に食べるのをやめるらしい．

炭水化物　Carbohydrates

　組成式で（CH$_2$O）$_n$と表現できるので，炭水化物といわれる．高分子のセルロース，デンプン，グリコーゲン，アラビアゴムなどは，加水分解すると糖になる．糖はヒドロキシ基を多くもったアルデヒドかケトンとその誘導体である．単糖類を基準にして，単糖類，二糖類，オリゴ糖類，多糖類というように階層的に分類されている．

　単糖類のおもな例はグルコース，フルクトース，マンノース，ガラクトース，キシロース，アラビノース，リボースなど，炭素鎖が炭素原子6個の糖（ヘキソース）と，5個の糖（ペントース）が多い．しかし，植物の光合成の中間段階とその周辺の代謝系では，炭素原子数3個のものから，10個のものまでが検出される．構造は下図のように書かれる．

　炭素原子につけた番号1〜6はアルデヒド基の炭素原子を1として書く．DかLの表示は5番目の炭素原子がDかLかで記し，2から4の炭素原子については表示されないで，全体で糖の固有の名が示される．たとえば，D-（＋）-ガラクトースでは4の炭素原子の左にヒドロキシ基が書かれるが，ほかの部分はD-（＋）-グルコースと同じである．このような非鏡像異性体のことをジアステレオマーという．違いが1か所だけのときはエピマーという．

　糖のおのおののヒドロキシ基が＋か−か，またはエクアトリアルかアキシアルかによって多くの異性体が存在し，代謝され方や生理作用も異なる．

D-（＋）-グルコース　　　[α]$_D$＝＋53°

β-D-（＋）-グルコピラノース

　溶液中での構造では，環状か直鎖状かの平衡関係が成立している．たとえば，
α-D-（＋）-グルコピラノース；36%⇄遊離型D-グルコース；0.5%⇄β-D-（＋）-グルコピラノース；64%．
この環をピラン環というので，環状のときはピラノースという．環が開いたときアルデヒド基ができる糖をアルドースといい，ケトン基ができる糖をケトースという．アルデヒド基がフェーリング液（アンモニアを含む水酸化銅溶液）を還元することでアルドースを検出できるので，還元糖とのよび名もある．たとえば，呈色反応と組み合わせて，糖尿のグルコースは容易に検定される．

β-D-(＋)-グルコピラノースの模型の組み立て方

1. はじめに，C原子6個，O原子6個をつくる．それぞれ，正四面体の頂点相当のかどにしるしをつけておく．H原子は12個つくる．

2. グルコピラノースでは，どの炭素原子も水素原子をつけているので，それぞれのCの正四面体の1個の頂点にHを1個つけておく．

3. 構造図を見ながら，1番のCのHが下にくる方向，2番のCのHが上にくる方向で，おのおののCの正四面体の頂点にあたる点でつなぐ．

4. 以下，3番目CのHが下，4番目CのHが上，5番目CのHが下になるようにしながら，最後にOをつないで，全体がいす形になるように環状につなぐ．

5. -OHと-CH₂OHを組み立てる.

6. -OHと-CH₂OHをつけて完成する．構造図と見比べて確かめる．

参考：α-D-(＋)-グルコピラノースにしたいときは1番のCのOHとHを入れ替える．

　β-D-(＋)-マンノピラノースは，2番のCのOHとHだけを入れ替える．

　β-D-(＋)-ガラクトピラノースは，4番のCのOHとHだけを入れ替える．

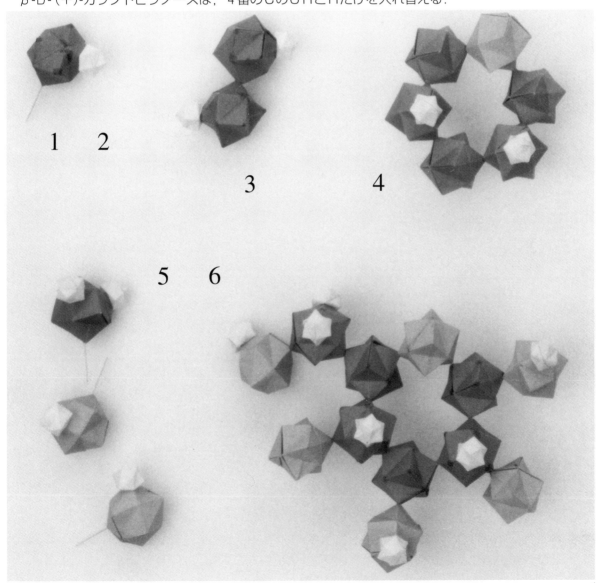

二糖類　Disaccharides

　二糖類をつくっている２個の単糖類分子の種類だけでなく，それらの間をつなぐ酸素原子がどの位置のヒドロキシ基のもので，それがどちらを向いていたかによって構造の違いが生じる．デンプンがアミラーゼで消化されてできるマルトースは，D-グルコース２分子でできている．マルトース(4-O-(α-D-グルコピラノシル)-D-グルコピラノース)では，つながり部分はα-1,4結合と表現される．図の右側のグルコピラノース残基には還元性が残っている．

　セルロースの加水分解で生じるセロビオース(4-O-(β-D-グルコピラノシル)-D-グルコピラノース)も，２分子のD-グルコースからなるが，β-1,4結合である(G1cβ1-4G1cと書く)．

　スクロース(α-D-グルコピラノシル-β-D-フルクトフラノシド)ではα-1,2結合になっている．フルクトース残基はもともとケトースだから，スクロースにも還元性はない．一般名はショ糖，砂糖．比旋光度＋66.3°のショ糖を塩酸で加水分解すると，D-グルコースとD-フルクトースを生じながら比旋光度が−19.9°に変わってゆくので転化糖ともいわれる．植物体内では，デンプンが分解され各器官の間を転流するときにはスクロースになっている．スクロースが高濃度に貯蔵されるサトウキビやサトウダイコン(甜菜)は砂糖生産の原料になっている．

　乳糖＝ラクトース(4-O-(β-D-ガラクトピラノシル)-D-グルコピラノース)は，ほとんどの哺乳類の乳汁に５％程度含まれている．

オリゴ糖類　Oligosaccharides

　単糖類分子(残基)が３〜十数個つらなったものをオリゴ糖類とよんでいる．いろいろな生理作用をもつものが発見されている．タンパク質分子には短い糖鎖が結合している場合が多い．細胞の原形質膜に埋没しているタンパク質分子についた糖鎖が，膜の表面にでていて，膜の性質にかかわっている．赤血球のＡＢＯ血液型も，そのような糖鎖の示す抗原型の違いによる．

多糖類　Polysaccharides

　デンプン(澱粉)は，D-グルコースの単位が直鎖状にα-1,4結合で1000個程度つらなったアミロースとよばれる成分と，α-1,4のほかにα-1,6結合による枝分かれを伴う数千個のグルコース単位がつらなったアミロペクチン成分との，２種類の成分でできている．

　植物細胞のアミロプラスト中のデンプン粒は，同心円状の層状構造を示すので，粒全体が１個の分子かもしれない．層状構造は濃硫酸かジメチルスルホキシド$(CH_3)_2SO$を加えてデンプン粒を膨潤させると光学顕微鏡でも観察できる．熱水中でも膨潤して粘性のある液になるが，それを超音波洗浄器にかけると鎖が切れて粘性が低下し還元末端数が増加する．

　ヨウ素デンプン反応の強い紫色は，アミロースのらせんの筒にヨウ素原子が取り込まれて配向するからであると説明されている．アミロペクチンは染色されない．

　アミロペクチンと同様の構造をもつグリコーゲンもヨウ素デンプン反応を示さない(薄いピンク色になる)が，γ-アミラーゼで枝分かれのα-1,6結合だけを特異的に切断すると，紫色に染まるようになる(枝がとれてアミロースができる)．

　発芽中の種子や唾液に含まれるアミラーゼによる消化では，デンプンはまず粗く切られたデキストリン(デンプン糊の成分)を経てマルトースになる．種子や貯蔵根に含まれる酵素のβ-アミラーゼは末端からグルコース２単位ずつを切断するので，直接にマルトースが生じる(アミラーゼの酵素名のα，β，γは，発見の順によるので，化学構造とは関係ない)．

多糖類は構造から見るとヒドロキシ基間の脱水縮合体に相当するが，生体内で合成されるときは，糖のリン酸エステルが酵素によって脱リン酸される際に結合が生成される．

セルロースはD-グルコース数千単位がβ-1,4結合でつらなった枝分かれのない長い直鎖状分子で，植物体の主要成分である（セルロース分子が束に集まったミセルが細胞壁をつくっているが，その模型はあとの103ページに書く）．反芻する動物の胃やウサギの盲腸，シロアリの消化管にはセルロースを消化できる微生物が共生していて，セルロースも栄養になっている．ヒトの消化系ではまったく消化されない．セルロースはデンプンの数十倍もの生産量があるのに，それを食料に変えることにはまだ成功していない．セルロースは繊維および加工した繊維や紙として利用されている．

ペクチンはセルロースとともに植物の細胞壁や細胞の間を埋める成分で，果物の中にもありゼリー状にもなる．D-ガラクトースの6番目の-CH$_2$OHが-COOHになったガラクツロン酸の重合体である．

ペントサンも植物細胞壁の成分で，五炭糖のD-（＋）-キシロースが単位の多糖類である．

アラビアゴムは，五炭糖のL-アラビノースが単位になった多糖類である．

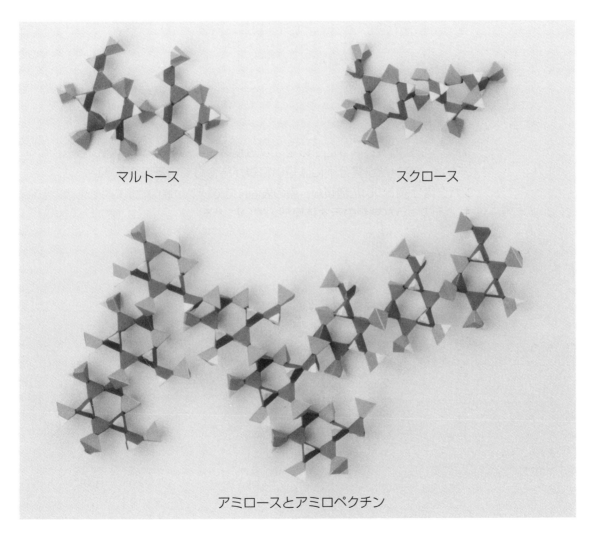

マルトース　　　　　　　　　　　　　スクロース

アミロースとアミロペクチン

縮合ベンゼン環　Benzene ring condensates

　ここまでのページの模型では，原子を1個ずつつなぐようにしてつくってきた．少し難しい折り方になるが，1枚の紙で折る方法を書く．縮合ベンゼン環は石炭タールから分離されてきたが，有機物を600℃程度で燃やすと生成することが近年確かめられた．発がん性があるものが多く，ゴミの焼却処理の際にも生成するので，焼却温度をより高く保って生成を減らす試みがなされている．

ベンゼン　Benzene

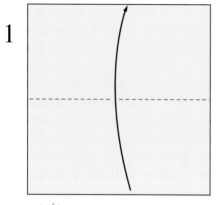

1

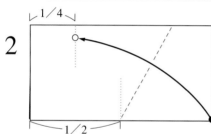

2

1/2と1/4のしるしをつけてから，●の
かどを ○……の線へもっていって折る

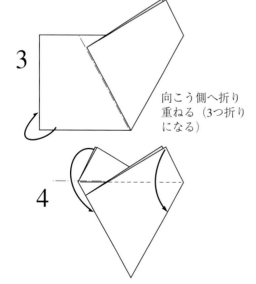

3

向こう側へ折り
重ねる（3つ折り
になる）

4

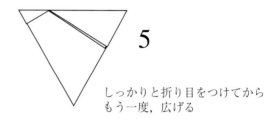

5

しっかりと折り目をつけてから
もう一度，広げる

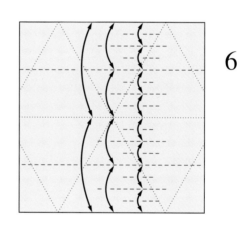

6

折って，もどして折り目をつける．
それぞれ，さらに半分に折るのを繰り返して16等分する．

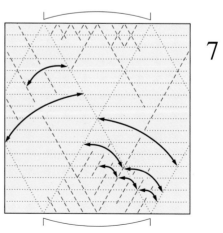

7

この間を8等分（半分の半分の半分にする）

全体の斜めの方向も細かく，正確に折り目をつける

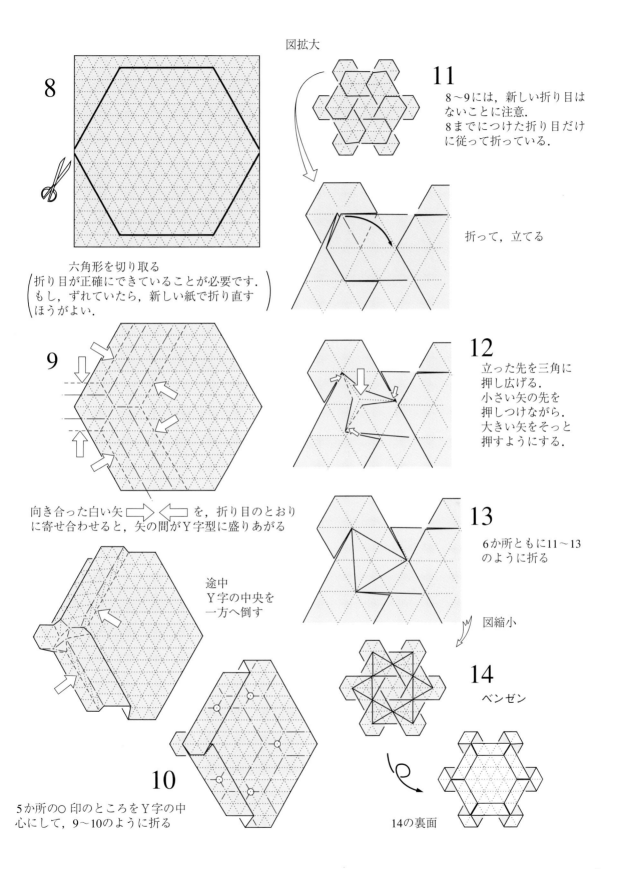

8

六角形を切り取る
（折り目が正確にできていることが必要です．
もし，ずれていたら，新しい紙で折り直す
ほうがよい．）

9

向き合った白い矢 ⇨ ⇦ を，折り目のとおり
に寄せ合わせると，矢の間がY字型に盛りあがる

途中
Y字の中央を
一方へ倒す

10

5か所の○印のところをY字の中
心にして，9〜10のように折る

図拡大

11

8〜9には，新しい折り目は
ないことに注意．
8までにつけた折り目だけ
に従って折っている．

折って，立てる

12

立った先を三角に
押し広げる．
小さい矢の先を
押しつけながら．
大きい矢をそっと
押すようにする．

13

6か所ともに11〜13
のように折る

図縮小

14

ベンゼン

14の裏面

ナフタレン　Naphthalene

　タテ2：ヨコ3の矩形の紙を用いて，まず3のほうを3等分してから，前ページのように，折り目をつける．細かい正三角形が敷きつめられたようになっているとよい．

1

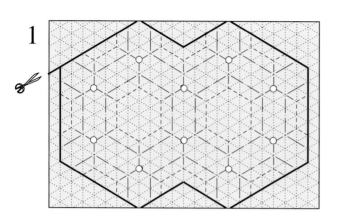

太線で切りぬいてから，前ページ9〜14のように折る

アントラセンは，上の紙を2：4にするとつくれる．
3,4 - ベンゾピレンは，もう少し大きい紙で折れる．
グラファイト(石墨)は，もっと大きい紙を細かく折る．

2

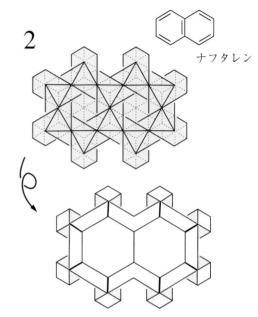

ナフタレン

光にすかして見ると，電子密度が
見える

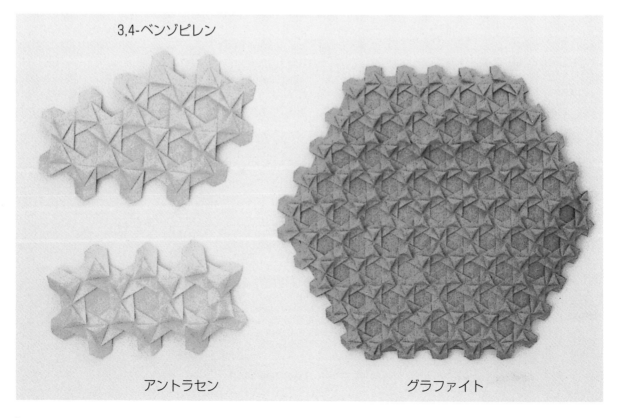

3,4-ベンゾピレン

アントラセン　　　　　グラファイト

もう一度練習してみよう

　左ページもその前のベンゼンも，やや難しい折り紙だろうと思う．もう一度下のような練習をすると，美しくできる．

1

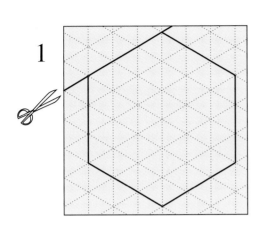

74，75ページの1〜8と同様の折り方で，折り目をつけ，正六角形を切り抜く

2

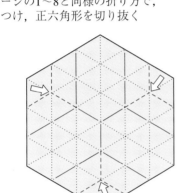

折り目に従い白い矢を押し下げる

途中

盛りあがった中央を左上へ倒す

3

折って，立てる

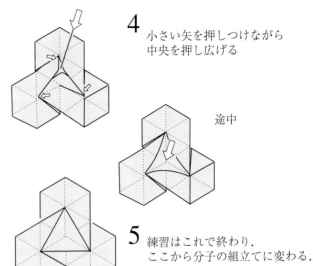

4　小さい矢を押しつけながら中央を押し広げる

途中

5　練習はこれで終わり．ここから分子の組立てに変わる．

同じものを6個つなぐと，ベンゼンの模型になる．60個を球形につないでフラーレンにもできる．

図縮小

裏返して，差し込んでつなぐ

6

7

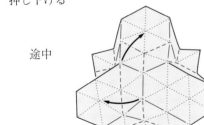

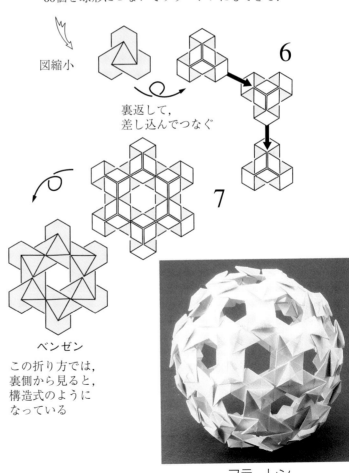

ベンゼン

この折り方では，裏側から見ると，構造式のようになっている

フラーレン

フラーレン　Fullerene

　長い間，炭素だけでできた分子構造は，ダイヤモンドとグラファイトと無定形炭素の３種類と思われていた．1985年*Nature*にサッカーボール形の分子，C_{60}がクトローら５人の共著で発表された．共著者のカール，スモーリー，クロトーの３人が1996年にノーベル化学賞を受けた．ところが，彼らより15年も前の1970年に化学同人の雑誌『化学』に大澤映二さん（現 豊橋技術科学大学教授）が，コランニュレンという盃状分子の延長上に，安定な構造をもったC_{60}分子が存在しうることを書いておられ，それがC_{60}の最初の科学的記述らしい．なお現在は，フラーレン類で安定な球状の構造をもつものは，C_{28}，C_{36}，C_{50}，C_{60}，C_{70}，C_{120}などが考えられているそうだ．そのほか，C_{60}と同じ断面で長い管状の分子（カーボンナノチューブ）も合成されている．

　フラーレンの分子模型は，大澤氏の考えの経過にそって，炭素原子相当のユニットをつないでゆく方法でつくってみよう．C_{60}だから，ユニットは60個が必要．

フラーレンのユニットの折り方

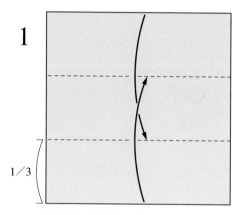

1

1／3

2

もどす

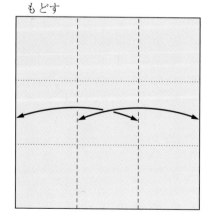

3

折って，もどす

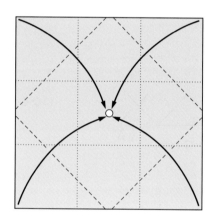

4

かどを中央に集めて折るが，つぎの図のようにすき間を少しだけ残すように折る

この折り目は，1〜3ですでについているとおりに折る

5

折って，もどしてから，全体をもう一度広げる(ここまでは，折り目をつけるだけ)

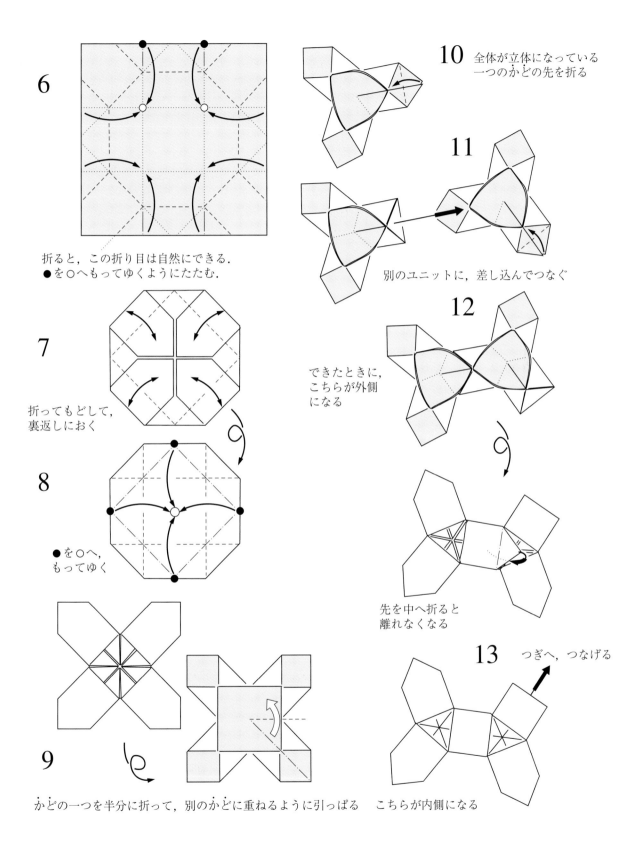

6

折ると，この折り目は自然にできる．
●を○へもってゆくようにたたむ．

7

折ってもどして，
裏返しにおく

8

●を○へ，
もってゆく

9

かどの一つを半分に折って，別のかどに重ねるように引っぱる

10 全体が立体になっている
一つのかどの先を折る

11

別のユニットに，差し込んでつなぐ

12

できたときに，
こちらが外側
になる

先を中へ折ると
離れなくなる

13 つぎへ，つなげる

こちらが内側になる

フラーレン分子模型の組立 （前ページから）

　ユニットを 5 個つないだ五角形をつくり，その外に六角形を 5 個つける（コランニュレン相当）．さらにその外には五角形と六角形を一つおきに 5 個ずつつける（ここで，半分できた）．

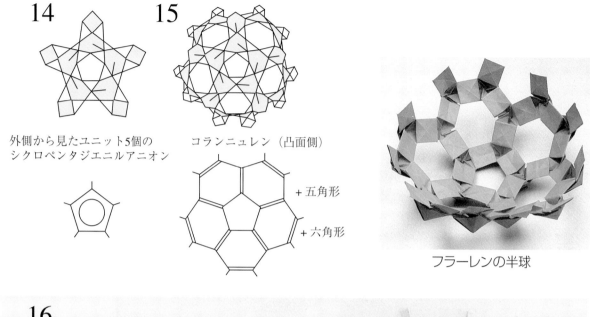

14

外側から見たユニット5個の
シクロペンタジエニルアニオン

15

コランニュレン（凸面側）

+ 五角形

+ 六角形

フラーレンの半球

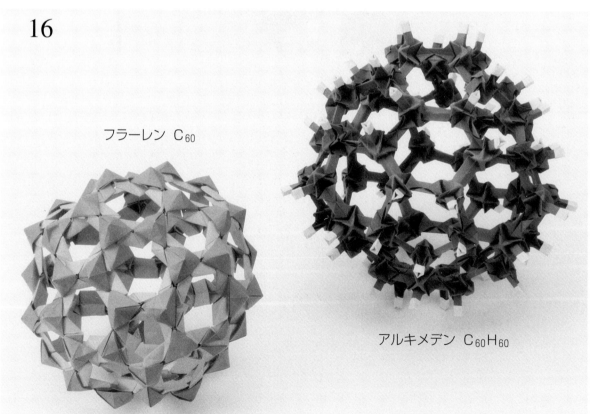

16

フラーレン C$_{60}$

アルキメデン C$_{60}$H$_{60}$

　なお，C$_{60}$H$_{60}$アルキメデンarchimedeneは，正四面体型のユニット（54ページ）でつくれるだろう．フラーレンは，球形のドーム構造を設計した建築家バックミンスター・フラーレンの名にちなんで名づけられた．

DNA   Deoxyribonucleic acids

化学構造は，デオキシリボースとリン酸が交互につらなった鎖状のコポリマーでデオキシリボースの3'についたリン酸基がつぎのデオキシリボースの5'につながっている．デオキシリボースの1'に塩基の側鎖がついている．塩基はアデニン（A），グアニン（G），チミン（T），シトシン（C）の4種類が主である．AとT，およびGとCのモル比はそれぞれ1：1で，AとGを合わせたプリン類と，TとCを合わせたピリミジン類との比も1：1になる．

DNA分子中の1個のヌクレオチド残基（点線の枠内）と4種類の塩基
^{ıııı}は水素結合

グアニン-シトシン塩基対

アデニン-チミン塩基対

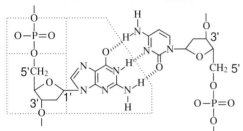

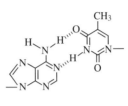

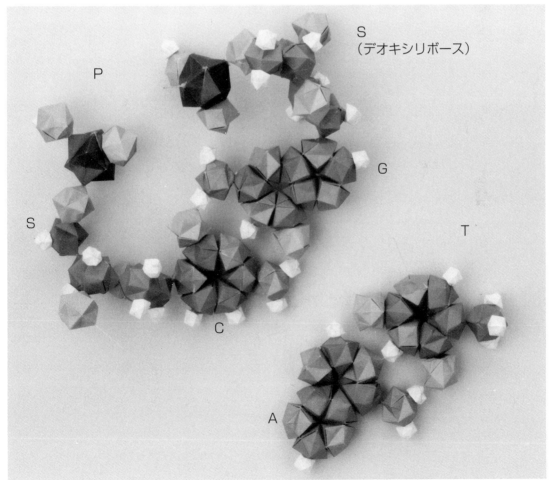

（図：G-C塩基対．A-T対は塩基だけを示している）

小さい白丸は水素原子で，水素結合をつくる周辺にはまぎらわしい水素がなくて，疎水性の環境の中に水素結合がある．

よく知られたＤＮＡ二重らせんモデルでは，２本の鎖が逆方向にならび，塩基が２本の鎖の間でA-T間またはG-C間の水素結合（塩基対）を形成することで安定化されている．逆方向の鎖は右巻きのらせん状になっていて，らせんの直径は約20Åで，ピッチは34Åで，ピッチ当たり10塩基対になっているのをB-DNAという．

　そのほか，G-C対の多い二本鎖が細かく屈折しながら，全体として左巻きになったZ-DNAがある．また，１種類の塩基でできた合成ポリマーを混合して３本巻きらせんが生じる場合もある．

　原核生物のＤＮＡやオルガネラのＤＮＡは，長い二重らせんの両端がつながったループになり，それがねじれた超らせん（coild coil）になっている．

　真核生物の核ＤＮＡでは，長い右巻き二本鎖が，ヒストン分子集合体でできたコアに巻ついた構造（ヌクレオソームnucleosome）が，じゅず玉のようにつらなった形になっている．また，精子世代のタンパク質はヒストンではなくプロタミンである．染色体の中では，ヌクレオソームのつらなった長い紐がさらに何回かの超らせんになっている．

　ＤＮＡの鎖は，その一部で膜構造の一部についている．

DNA分子模型の折り方

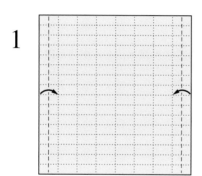

8等分と16等分に
折り目をつける

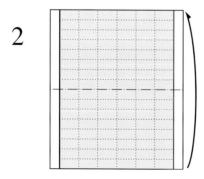

向こうへ半分に折る

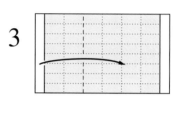

図拡大

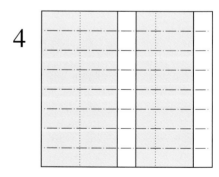

山折り線をつける．
折り目はしっかりとつけること．

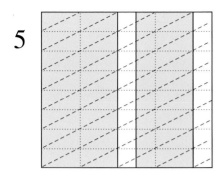

5

谷折り線をつける.
しっかりと折り目をつけておくこと.

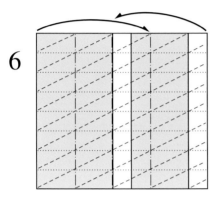

6

三角柱にする

7の上面

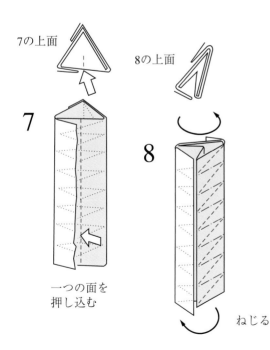

7

一つの面を
押し込む

8の上面

8

ねじる

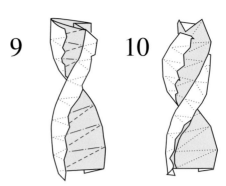

9 **10**

ねじりながら,
上下から押し詰める

DNAの折り方について

DNAは,高さと幅の比率が1対2の長方形を側面にした三角柱を単位構造にし,それを積み重ねた長い三角柱に相当するものを1枚の紙で折る.それぞれの単位三角柱を右巻きにひねりながら高さ方向に押しつぶしたあと,全体を引きのばすと3本巻のらせんになる.もとの三角柱の外側は,あらかじめ鎖相当のベルトを2本つけた折り方にしてあるので,広い溝と狭い溝がらせん形になっている.三角柱の側面の一つを押し込むように折って面の幅を2分の1にすると,全体の形は1ピッチ当たり10塩基対(B型)ないしは11塩基対(A型)のDNAになって安定する.

DNAは二重らせんのとき安定な分子になるので,折り紙も1枚で二重らせんを折ることにした.

RNA

Ribonucleic acids

　RNA分子は，リボースとリン酸が糖の3′と5′で交互につながったコポリマーで，糖の1′に塩基がついている．おもな塩基のうちプリン類はアデニン（A）とグアニン（G）で，ピリミジン類はウラシル（U）とシトシン（C）である．通常一本鎖で，Tが微量成分で，Uが多く，糖がリボースであることがDNAとの違いである．とくに，tRNAには，必ず微量成分が含まれている．

　DNAから転写された後で，一部分の切り捨て（trimming）と切りつぎ（processing）を経て，細胞質で修飾されて微量成分が生じる．

　一本鎖RNAが折り畳まれて，分子の一部分に二重らせんを形成している場合がある．tRNAでは，4か所の短いらせん部分（クローバーモデル）をさらにコンパクトに折りたたんだ構造になっている．

　20種類のアミノ酸に対応した20種類のtRNAがあるが，さらに同じアミノ酸に対して1ないし数種類のisoaccepting tRNA（結合して運ぶアミノ酸の種類は同じであるが，tRNAの塩基配列では，少し異なったtRNAが細胞内に存在する）がある．それらを入れて数えると，たとえば酵母菌で多いものでは60種類で，遺伝子の数は重複があるので360個との報文がある．

　リボソームは大きいRNA分子とタンパク質からなる粒子で，高速の遠心分離で沈降する．沈降定数は原核生物やオルガネラでは70S，真核生物では80Sで，それぞれサブユニットがある．

　タンパク質合成中のmRNAは細胞質中で長く伸び，たくさんのリボソームがついている（ポリソーム）．mRNAは分解されやすく，超遠心分離でも沈降しにくいので，分子が広がった鎖状の形と考えられている．ただし，安定な貯蔵型もある．

RNA分子模型のつくり方

　ここまでのページで書いたいろいろな方法が使えるが，原子1個ずつを折ってつくる方法では手間がかかりすぎるので，組み紐のような方法を紹介する．まず，両面が同色の長いテープを用意する．テープは長いままでは折りにくいので，適当な長さで部分を折ってから，足りなくなったらつなぐようにすると，複雑な構造も楽につくれる．

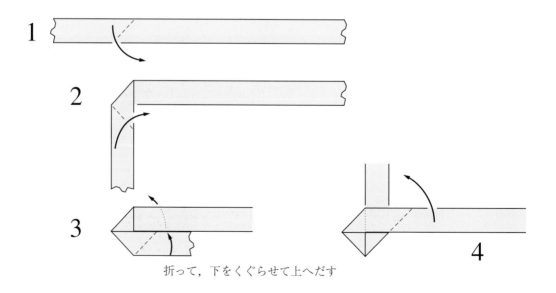

折って，下をくぐらせて上へだす

5

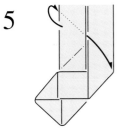

向こうへねじって
こちらへ重ねる

6

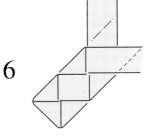

4,5を繰り返すと平な紐になる
これを分子の背骨にする
分子全体の形を保つためには,
背骨の中央に細い針金をとおす
とよい

以下, これに側鎖の塩基をつける

7

上の5から

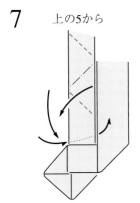

1〜4のように折り,
下をくぐらせると
紐が二またになる

8

これで小さい側鎖が1個ついた

ピリミジン塩基

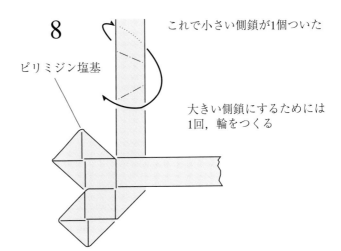

大きい側鎖にするためには
1回, 輪をつくる

9

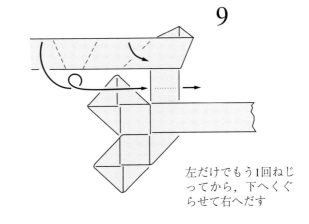

左だけでもう1回ねじ
ってから, 下へくぐ
らせて右へだす

プリン塩基

参考図

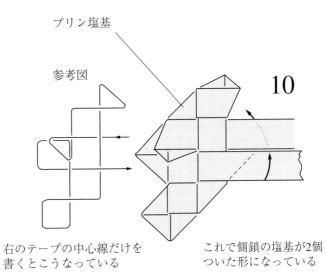

右のテープの中心線だけを
書くとこうなっている

10

これで側鎖の塩基が2個
ついた形になっている

11 10までの折り方を応用して塩基対をつくるなら

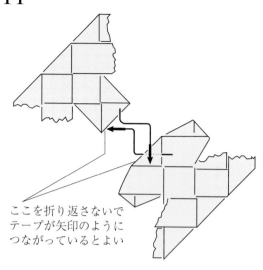

ここを折り返さないで
テープが矢印のように
つながっているとよい

13 部分的な構造が折れるようになったらtRNA
の二次構造の図を見ながら，テープをつな
いで分子を完成させる

12 塩基対部分

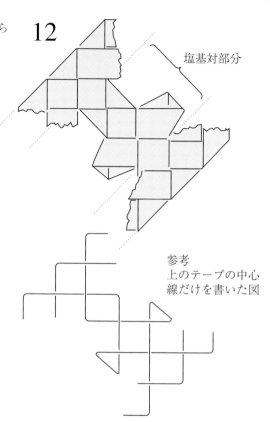

参考
上のテープの中心
線だけを書いた図

組み紐でつくったRNA模型

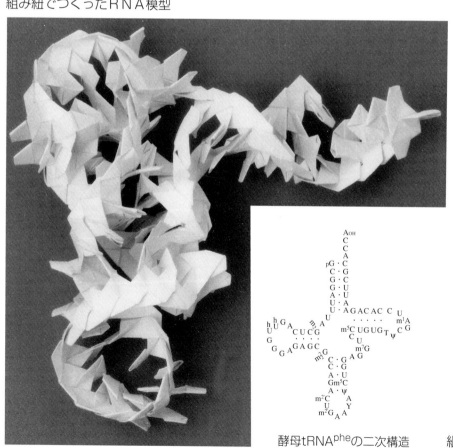

酵母tRNA^{phe}の二次構造

組み紐でつくったDNA模型

ヌクレオチド　Nucleotides

　ＤＮＡやＲＮＡのような高分子の核酸は，それぞれ３個のリン酸基をつけたヌクレオチドから２個の
リン酸基が脱離することでつながりが生じる．塩基配列は複製の際の塩基間の水素結合の適合性で決ま
り，誤った配列は酵素によって修正される．一方，炭水化物の炭素鎖をつなぐときにはＡＴＰやＧＴＰ
はリン酸を１個離して，炭素鎖の端をリン酸化している．そのリン酸基は炭素鎖ができるときには放出
される．また，生体内で起こる合成反応や電位の発生，収縮，能動輸送など多くの場面でＡＴＰのリン
酸エステルの化学エネルギーが使われている．

　アデニンの構造はＮＡＤやＦＡＤのような脱水素酵素の補酵素の一部分や，コエンチームＡの中にも
入っている．それぞれのアポ酵素相当のタンパク質分子に結合したときに決まった立体的構造をとるの
だろう．そのほか，いろいろなヌクレオチドの化学構造を書いておく．表現したい目標に応じて，模型
をつくってみてほしい．

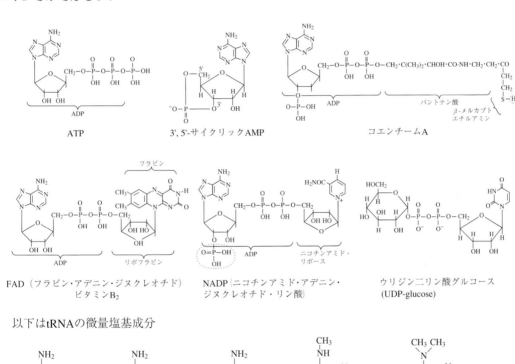

ATP　　　　　　　　3', 5'-サイクリックAMP　　　　　　　コエンチームＡ

FAD（フラビン・アデニン・ジヌクレオチド）　　NADP〔ニコチンアミド・アデニン・　　ウリジン二リン酸グルコース
　　　　　　ビタミンB₂　　　　　　　　　　　ジヌクレオチド・リン酸〕　　　　　　　　　（UDP-glucose）

以下はtRNAの微量塩基成分

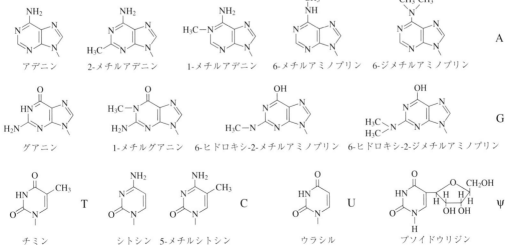

アデニン　　2-メチルアデニン　　1-メチルアデニン　　6-メチルアミノプリン　　6-ジメチルアミノプリン　　A

グアニン　　1-メチルグアニン　　6-ヒドロキシ-2-メチルアミノプリン　　6-ヒドロキシ-2-ジメチルアミノプリン　　G

チミン　　　シトシン　　5-メチルシトシン　　　　ウラシル　　　　　プソイドウリジン

T　　　　　　　　　　　　　　　　　　　　　　C　　　　　　　　　U　　　　　　　　　ψ

アミノ酸　Amino acids

　タンパク質を加水分解すると20種類のα-L-アミノ酸が得られる．タンパク質合成系がα，Lを選ぶからと説明できるが，なぜLだけになったのかは生命の起源を探求する化学からいつかは結論されるだろう．タンパク質分子以外からはα以外やDアミノ酸も見つかる．

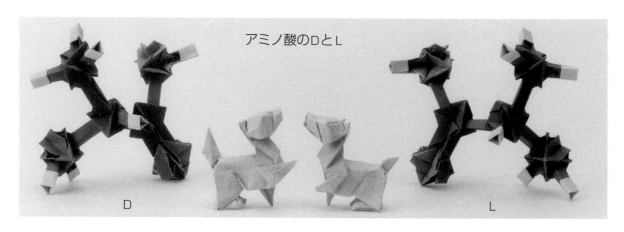

アミノ酸のDとL

D　　　　　　　　　　　　　　　　　　　　　　　　　　　　L

タンパク質合成系の模式図

　物の動く方向を矢印で示し，アミノ酸は白丸，RNAはうすい灰色，酵素は暗い丸で示した．
　生体内のタンパク質合成過程では，核酸の塩基配列によって指定された順序にアミノ酸残基が連なったポリペプチドがつくられる．アミノ酸残基の配列順序を，N末端からC末端に向かって書いたものを一次構造という．最近は，DNAの塩基配列を調べるほうが速いので，それをもとに，タンパク質分子の一次構造が推定されるようになった．たいていのタンパク質分子では，分子内の各部分の化学的相互作用によって分子の立体的構造が自己形成される．

20種類のアミノ酸

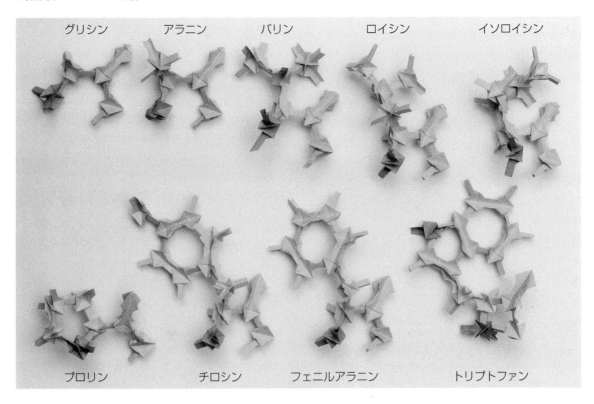

グリシン　アラニン　バリン　ロイシン　イソロイシン

プロリン　チロシン　フェニルアラニン　トリプトファン

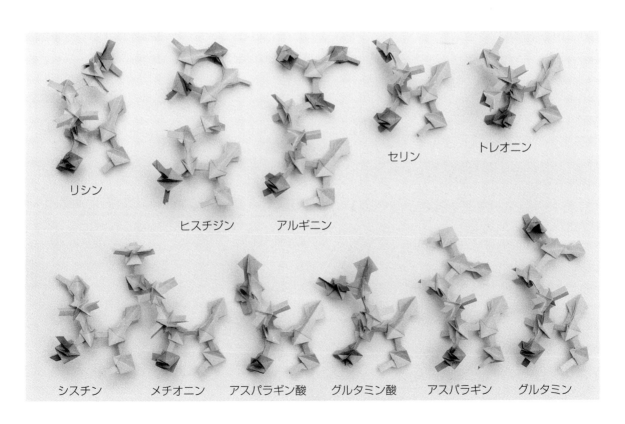

リシン

セリン　トレオニン

ヒスチジン　アルギニン

シスチン　メチオニン　アスパラギン酸　グルタミン酸　アスパラギン　グルタミン

タンパク質　Protein

二次構造　Secondary structure

　ポリペプチド鎖中の一つのL-アミノ酸残基に影をつけて示した．C^{α}_{i-1}からC^{α}_{i+1}へのつながりが背骨，ω，ψ，ϕの回転角度で全体が折れ曲がる．エネルギー的には，$C^{\alpha}_i-CO-NH-C^{\alpha}_{i+1}$が一平面上に近くなろうとするので，折れ曲がりには弱い制限がある．

　タンフォード（C.Tanford, 1962）は鎖の折れ曲がりについて，

$$\Delta S_{conf}=R\ln Z^x=1.987\times\ln 2^3=4.1\ \text{e.u.}\quad との見積もりをしている．$$

常温では，300Kを掛けて約1.2kcalになる．ただし，Zはω，ψまたはϕの安定な方向の数で，おのおの二通り．xは接点の数で，1アミノ酸残基当たり3個．だから，タンパク質分子が一定の折れ曲がりを保つには$-\Sigma T\Delta S_{conf}$を打ち消す程度の力が必要で，その力は背骨の$>C=O$や$>NH$がつくる水素結合だけでは少し不足で，側鎖間の相互作用も必要ということになる．

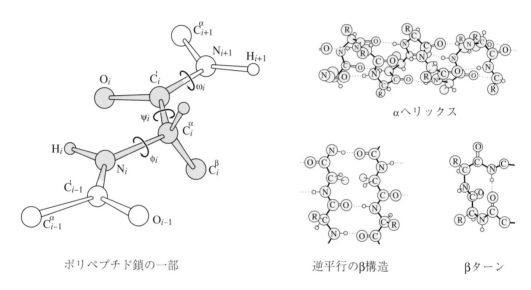

ポリペプチド鎖の一部　　　　αヘリックス　　　逆平行のβ構造　　　βターン

　水素結合でできうる規則性のある構造は二次構造とよばれ，
αヘリックス（α-helix, 右巻きらせんで，ピッチは3.5残基），
β構造（β-form, 鎖が平行または逆平行に並ぶが，並んだ多数の鎖が少しよじれた大きい面をつくるのをβシートという），
βターン（β-turn, アミノ酸4残基分で鎖の向きが180°変わるように曲がった構造）．
そのほか，3本巻きらせん（コラーゲン）や10残基程度のらせんなどの規則的繰り返し構造と，規則性の少ないランダムコイルが知られている．

　二次構造をつくる水素結合は，周辺の水分子との水素結合と競合するので，側鎖の大きさや疎水性の程度が二次構造の安定性に影響する．ポリペプチドと水素結合しやすい尿素やグアニジン塩酸塩はタンパク質の強い変性剤で，それらの水溶液中ではタンパク質はランダムコイル状になるが，透析で変性剤を除くと二次構造が回復することが1960年ころから知られている．したがって，タンパク質分子の一次構造が二次構造をも決めているのだと考えられている（一次構造の情報を担っているDNAの塩基配列が決めていることにもなる）．

αヘリックス　　α-Helix

　アミノ酸のβ炭素から先は省き，見やすいようにらせん部分の原子のつながりを紙の稜線で表した模型です．左ページに書いたように，αヘリックスは水素結合の力だけでは保てない．実際には，側鎖間相互作用がかかわるので，αヘリックスになりやすい一次構造がある．この模型はアミノ酸残基の側鎖を省略．

1 基盤目に線を引く（数字はmm）

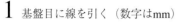

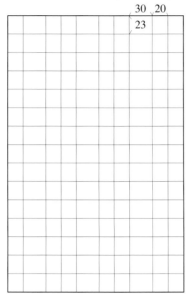

2 ボールペンで折り線を強くつける

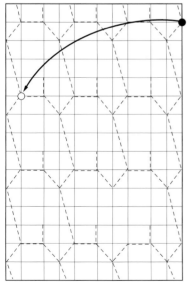

●が○にくるように，まるめて，糊づけ

3 それぞれの折り目を折る． 折り目の間は凹ませておく．

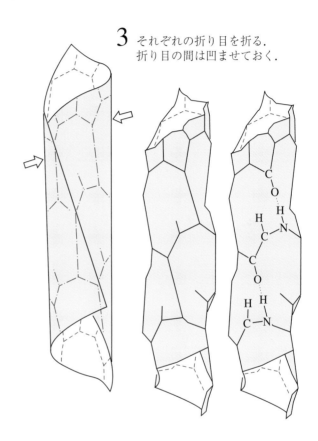

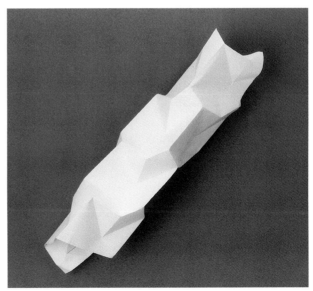

逆平行β構造　Antiparallel β-form

1 碁盤目に目印の線を引く

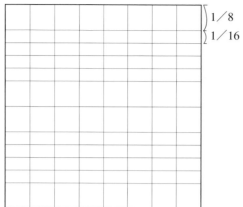

1/8
1/16

2 折り目をつける.
山折り線 ——— は裏返してつける.

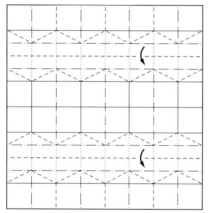

折り目のとおりに，上，下，左右から
押し詰めてゆく

3

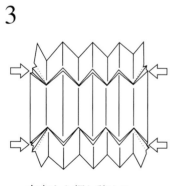

左右から押し詰める

4 しっかりと押さえて，折り目をつけてから
こちらを表に，半分広げる

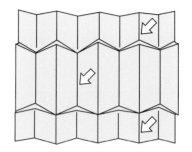

5 ⇗印の稜を押し下げる

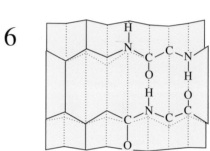

6

H
N　　　C
　　　C　　　　N
O　　H
　　H　　N
　　　C
N　　　C　　　C
　　O
C
O

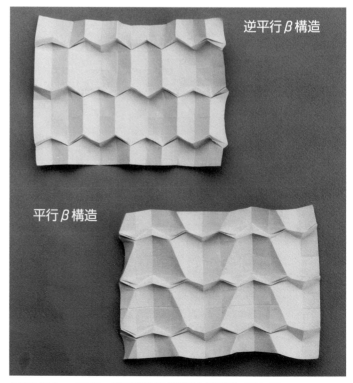

逆平行β構造

平行β構造

いずれも，アミノ酸残基の側鎖は省略してある.

コラーゲン　Collagen

　側鎖の小さいアミノ酸のつながったポリペプチド鎖が，3本右巻きらせんで安定化している構造が単位（トロポコラーゲン）になっているので，折り紙も1枚の紙で3本巻きらせんを折ることにした．これも，少し硬い紙がよい．その束がコラーゲンミクロフィブリルで，さらにそれが集まった大きい束をコラーゲン繊維という．

1 タテ・ヨコ8等分に折り目をつける

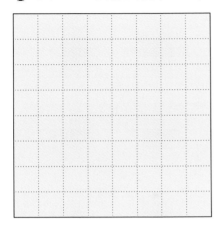

2 それぞれ，引き寄せるように折る

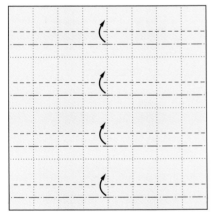

2 折って，戻して，強く折り目をつける

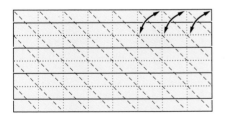

この折り目はすべて谷折り

4

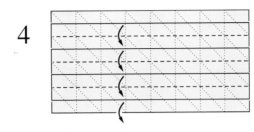

紙の襞を，畳み直す

5

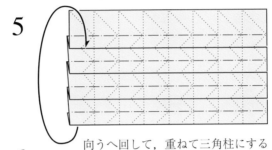

向うへ回して，重ねて三角柱にする

6

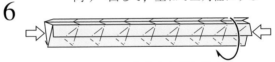

ねじりながら，左右から押し詰める

7

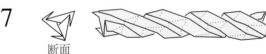

断面

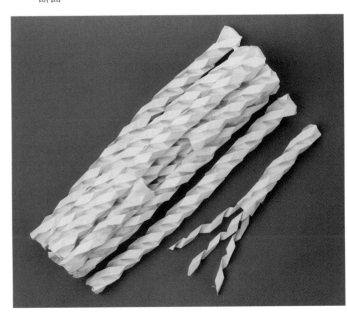

αケラチン   α-Keratin

　毛や蹄などの硬タンパク質で，側鎖を省略したαヘリックス3本を左巻きに束ねた模型にした．テープに91ページのαヘリックスの折り目をつくって筒状に巻くことにした．フレキシブルで長い構造にするためである．つくってみると，3本左巻きの束になっても一つのらせん中の原子間距離や結合価角には，それほど大きい無理は生じてこないことが納得できるだろう．

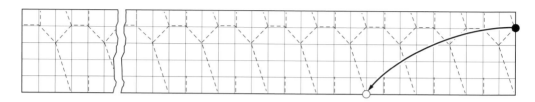

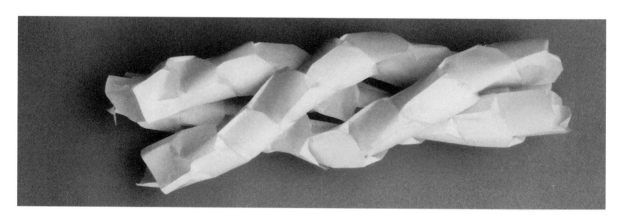

コイの筋肉のカルシウム結合性タンパク質   Carp muscle Ca-binding protein

　αヘリックスを6個含んだ，108個のアミノ酸残基がつながった1本のポリペプチド鎖でできている．上のヘリックスのつくり方で，部分的にらせんの解けた部分をつくって立体的二次構造を再現した．ただし，形を保つために針金を仕込んである（図左：コイの筋肉のカルシウム結合性タンパク質）．

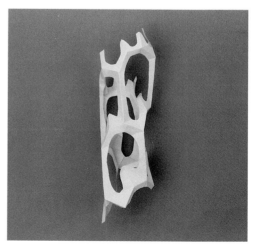

　なお，αヘリックスの模型で，原子間の結合を示す稜線だけを残して間を切り取ると，モダンアートで好まれそうな立体になる．このほうがらせん構造がよく見える（図右：αヘリックス）．

三次構造　Tertiary structure

　ポリペプチドのアミノ酸残基の側鎖はそれぞれ違った性質をもっているので，それらの間に立体的な配置が生じる．たとえば，アラニン，バリン，ロイシン，イソロイシン，プロリン，フェニルアラニン，チロシン，トリプトファンなどの疎水性の程度は側鎖の大きさとほぼ比例し，水中ではタンパク質分子の内側に寄り集まる傾向がある．セリン，トレオニン，ヒスチジン，グルタミン，アスパラギン，などは親水性があり，チロシン，グルタミン酸，アスパラギン酸も解離していない状態では水素結合できる．中性付近のpHではグルタミン酸，アスパラギン酸は酸で負の荷電をもち，ヒスチジンは弱い正荷電をもち，リシン，アルギニンは正荷電をもつので，部分的に吸引や反発が生じる．また，電子の出入りにつれて化学反応にも関係する．シスチンの-SH基は酸化されると2残基のシスチン間に-S−S-の架橋ができ，分子内または分子間をつなぐ．このような性質の集積と力のバランスで，タンパク質分子の細部の立体的構造（三次構造）までもができあがると考えられている．

　何かの酵素の活性中心付近の構造模型をつくると，面白いだろう．

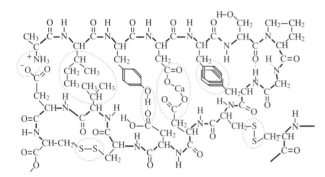

図：おもな側鎖間相互作用

　上左から右へ：イオン対，疎水結合，水素結合，塩橋，不飽和環のπ電子．下左は分子内-S−S-，右はポリペプチド間-S−S-架橋．右上のプロリンは主鎖を折り曲げてβターンにしている．

　このほかにも2個のリシン残基の酸化による架橋や，反応しやすい官能基に糖鎖がつく場合などがある．

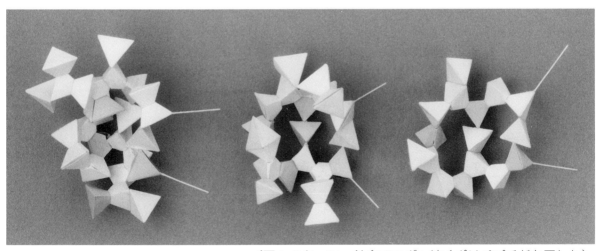

（図：βターン，針金でつぎへ続くポリペプチドを示した）

βターンと側鎖　β-turn

　4個のアミノ酸残基の並べ方は20^4＝160,000とおりだが，実際にある配列は限られているので，確率からはβターン（β-bendともいう）は特別な配列であるといえる．正四面体をつないだ模型で見るとβターンの水素結合は，少なくとも片側は側鎖で隠されている．

四次構造　　Quaternary structure

　１本ずつのポリペプチドの単位（サブユニット）が，いくつか集まって機能をもった一つのタンパク質分子になっている場合，サブユニットの集まりを四次構造とよんでいる．たとえば，ヘモグロビンは $\alpha_2\beta_2$ で２種類のサブユニットを２個ずつ含んでいる．

　さらに，一連の代謝系が，サブユニット構造をもった多くの酵素分子が集まった大きい分子集合体になっている場合がある．

ヘモグロビン分子模型のつくり方　　Hemoglobin molecule

1. Ｂ５の紙を細長く切る．
2. 鉛筆に巻いて，糊づけ，長い筒にする．

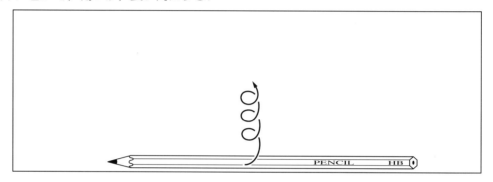

3. 端から0.5, 3, 0.5, 3, 0.5, 1, 0.5, 0.5, 1, 0.5, 4, 0.5, 2, 0.5, 2, 0.5, 4
　　　　　Ａ　　　Ｂ　　　Ｃ　　　　Ｄ　　　Ｅ　　　Ｆ　　　Ｇ　　　Ｈ
のしるしをつけて，細い針金をとおしておく（Ａ〜Ｈは，それぞれ α ヘリックスの部分に相当する）．

4. 0.5の部分はらせん状に一巻き半切り込み，少し引き伸ばす．
5. 折り曲げて立体構造をつくる．小さい矩形の紙をヘムの位置に貼りつける．あまった針金の先は切り取る．これでサブユニットができた（この精度では α と β は区別できない）．

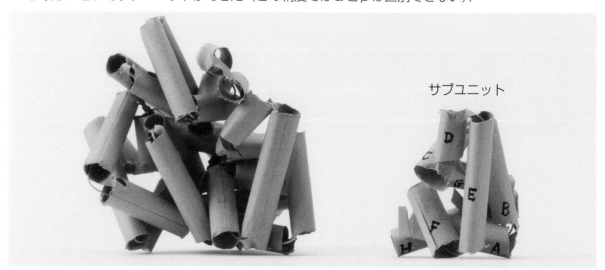

サブユニット

6. 同じサブユニットを４個つくって組み合わせて，少量の糊でつける．

ウイルス　Virus

　ウイルスの外皮は，少種類のタンパク質分子（コートタンパク質）がたくさん集まってできている．その分子には自己形成能がある．正二十面体の形と記述されている場合が多いが，単位になるタンパク質分子（カプソメアとよぶ．さらにサブユニットからなる場合もある）の数が32とか，72あるいは180などのサッカーボール型多面体が多い．

　昔から伝承された折り紙の薬玉の中に，類似した形のくすだまがあった．

くすだま　Decoration ball (Traditional)

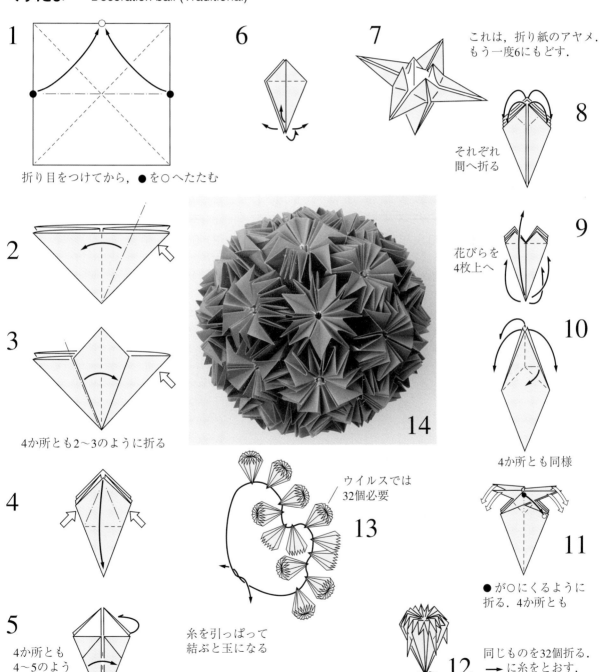

1 折り目をつけてから，●を○へたたむ

2

3 4か所とも2〜3のように折る

4

5 4か所とも4〜5のように折る

6

7 これは，折り紙のアヤメ．もう一度6にもどす．

8 それぞれ間へ折る

9 花びらを4枚上へ

10 4か所とも同様

11 ●が○にくるように折る．4か所とも

12 同じものを32個折る．→に糸をとおす．

13 ウイルスでは32個必要　糸を引っぱって結ぶと玉になる

14

タバコモザイクウイルス   TMV

タバコにつくRNAウイルスで，スタンリー（W.M.Stanley）が1935年に最初に結晶化したときには，生命とは何か，の議論が巻き起こった．長さ約280nm，径約16 nm．たくさんのコートタンパク質分子が集まって円筒をつくっていて，中にRNAのらせんが入っている．

模型は，単位構造をつなぐ方法では形を保てそうにないので，1枚の紙で繰り返し構造を折る方法でつくり，円筒の合わせ目は重ねて隠すようにした．

1 正三角形の集まった折り目をつける（折り方は74ページ）

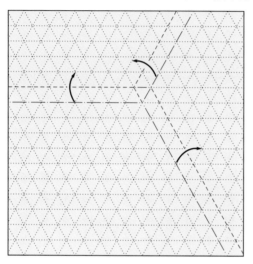

この図は，もっと大きい紙を，もっと細かく折ったものの一部分と思ってください．でも，はじめから大きい紙で折ると失敗しやすいので，まずこの2倍くらいの大きさの紙で練習するのがよいと思います．
折り目に従って，引き寄せて，折る．

2

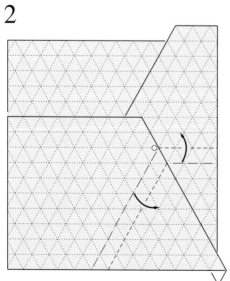

○の下を広げて，1のように引き寄せて折る

3

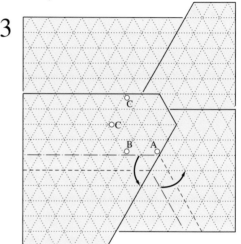

○Aの下を広げて，1のように引き寄せて折る．
つぎは○B，そのつぎの○C 2か所は同時に折る．

4

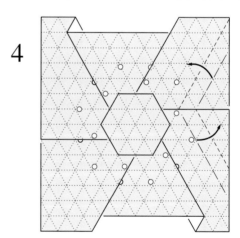

これで，紙の中央に正六角形がついた形になった．周辺に向って，つぎつぎに○の下を開いて1の折り方を繰り返してゆくと，六角形の外に六角形が重なった花模様のようになる．
さらに，その外側も同様に繰り返して，紙全体が六角形の重なりで埋まるまで続ける．

5

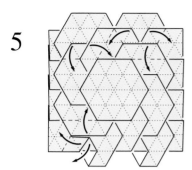

折り目に従って，畳み直し
六角形が並ぶようにする

6

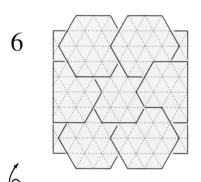

それぞれの六角形の中に，
向こう側から綿を詰めて
ふくらませる

裏

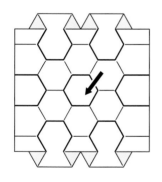

幅が，この紙の8倍の紙で，折り目の
間隔を同じにすると，幅の中に六角
形が，18個並ぶことになる．
TMVは細長いので，その比率の模型
にするには，紙の長さは幅の6倍にす
る必要がある．折りにくいので，折
ってからつなぐほうが楽にできるだ
ろう．

7

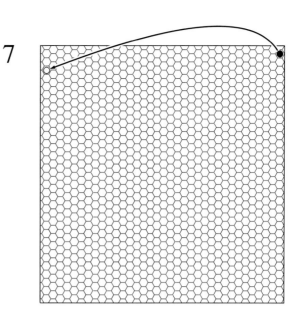

裏から見た六角形の，右上の●を，左の上から3つ目の
○に重ねるようにして円筒にする

8

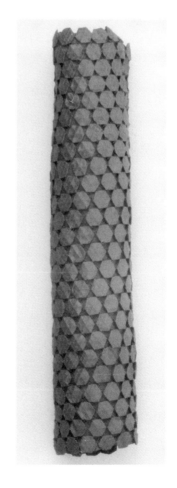

エイズウイルス　HIV

　直径約100nmの球形のＲＮＡウイルス．内部には，カプソメアタンパク質が正二十面体形に集まったカプシドの殻があり，その中にＲＮＡと逆転写酵素が入っている．殻の外側には宿主の細胞膜脂質成分でつくった外皮エンベロープがあり，その外側には糖タンパク質の粒が着いている．この粒はウイルスの増殖に伴って構造が変わるので，宿主側の免疫による防衛が追いつかなくなる．性行為や輸血（水平感染），あるいは母乳（垂直感染）でも感染し，数週間から数年間の潜伏期間があるので，伝染し蔓延しやすい．後天性免疫不全症候群（ＡＩＤＳ）を引き起こすので，ほかの感染症や悪性腫瘍も伴いながら死に至る．

　模型では内部構造も見せたいので，一部分切断した形にした．

カプシドの折り方　Capsid

　99ページの5を使う．ただし紙は裏表逆に使い，タテは1.5倍，横は5倍程度の大きさが必要．

1

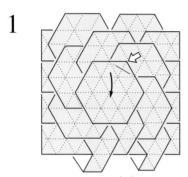

折ると，六角形のかどが立つので，
押し広げて正三角形をつくる

2

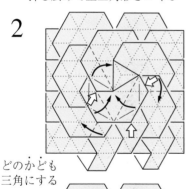

どのかども
三角にする

3

4　折り方が解ったら，1.5×5倍の紙で3まで折る

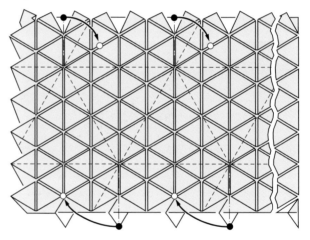

●を○へ引き寄せるように，全体をこちらに丸めると上に
五角形の穴のあいた正二十面体のカプシドになる．
穴を閉じたいときは，タテが左の1.5倍の紙を使うとできる．

RNA鎖の折り方：長いテープを使う　RNA chain

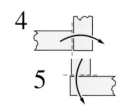

1

2

3

4

5

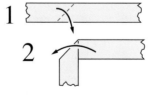

以下2〜5を何回も繰り返して，
引き伸すと，やわらかな紐になる

6

エンベロープの折り方　Envelope

こちらを表にして左の4を折る.
紙は全体で左の1.2倍より大きい.

1　これは部分拡大図

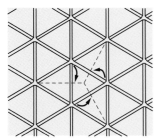

三角のかどをこちらへ垂直に立てる

2

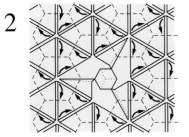

どのかども すべて, こちらへ立てる

3

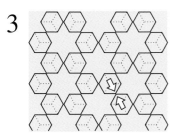

横から見ると, 紙の表面に角錐が
たくさん並んだ形になっている.
角錐の先を ⇨ ⇦ のようにつま
むと, 元へもどらなくなる.
こちらを外側にして, 左ページの
4のように上下を寄せながらカプ
シドの外に巻きつける.

外につく糖タンパク質粒の折り方　Glycoprotein

こちらを表にして左ページの1（99ページの5）を
折る. 紙はカプシドの1.5倍より大きい.

これは部分拡大図

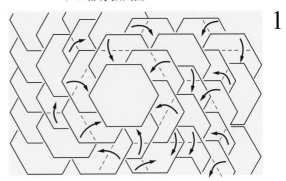

正六角形が敷きつめられるように, 畳み直す

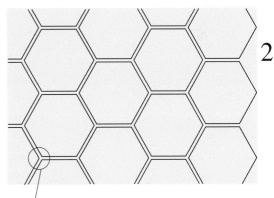

2

この内側は左ページ1〜2のように, 三角形にしておく.
左ページ4のように上下を寄せながらエンベロープを巻き
つける.
六角形の中には綿を詰めて, ふくらませておく.

3

原形質膜　Protoplasmic membrane

　脂質分子が解離基を外に向けて集まって，２層の膜構造をつくっている（脂質二重層という）．この層は二次元面内で流動性があり，中に種々の機能をもったタンパク質分子が浮いていたり，縁がタンパク質でできた穴があったりする〔流動モザイクモデル：シンガー（S. J. Singer, 1972）〕．細胞が大きくなるときには，脂質膜をもった小胞（vesicle）が細胞膜に融合して面積が増加する．

　全体が一つの安定な構造になっているので，折り紙でも全体を１枚の紙で折ることにした．なお，この模型では膜の厚さ（脂質分子２個分の長さに相当する厚さ）はつくってないし，見えないので二重にはしなかった．また，本物の原型質膜の内面には，別のタンパク質分子でできた分子集合体や細胞骨格などがついて，過剰な流動は制限されているようだ．

　折り方は前ページまでのウイルスの折り方の，いろいろな部分を１枚の紙の上に配列しただけである．大きいタンパク質分子や穴は，正六角形の部分構造を裏から押しだしたり，上から押し込んだりして成形してある．各部分の配置を工夫すると，抽象美術のように楽しめるかもしれない〔フランスのジャン・クロード・コリア（Jean-Claude Correia）さんは，多くの花が咲き乱れる花園を１枚で折って見せた〕．

原形質膜　　　　　　　　　　　　　右は微小管（microtubule）

繊　維　　Fibre

　天然の高分子や繊維も人工の繊維も，それらの合成過程では単位になる小さい分子が触媒の助けで重合して生じる．だから，構造上は小単位の繰り返し構造になっている．天然の繊維では単位分子の繰り返し構造のうえに，ふつうの光学顕微鏡では見えない大きさの繰り返し構造をもっている．セルロース（木綿）では糖の繰り返しが大きいミセルになっている．ケラチン（羊毛）ではアミノ酸単位の繰り返しが3本巻きらせん（94ページ）になっている．図はセルロース分子の集まったミセルが，規則的に集合した細胞壁の模型．張力を加えると，ミセルは変形しないが，ミセルの間隔が可逆的に開く．本物ではそのような間隔の間に新しいミセルが供給されて細胞壁が伸長すると考えられる．

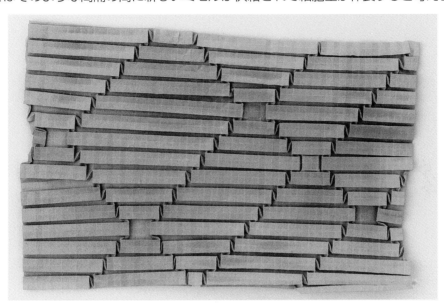

ユニット構造の折り方

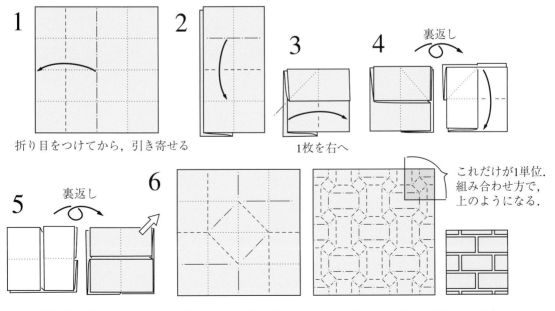

1　折り目をつけてから，引き寄せる

3　1枚を右へ

4　裏返し

5　裏返し

6　これが構造単位になる．

広げたときの，折り目．

これだけが1単位．組み合わせ方で，上のようになる．

もっと細かく，単位16個では，こうなる．

合成繊維の単位構造を模型で示す．単位構造を少し繰り返した模型をつくるほうがわかりやすいだろう．一般に，それぞれの側鎖がどの方向に向いているか，あるいは，方向が揃っているか揃っていないかなどによって性質が変化するが，ここでは示しきれない．

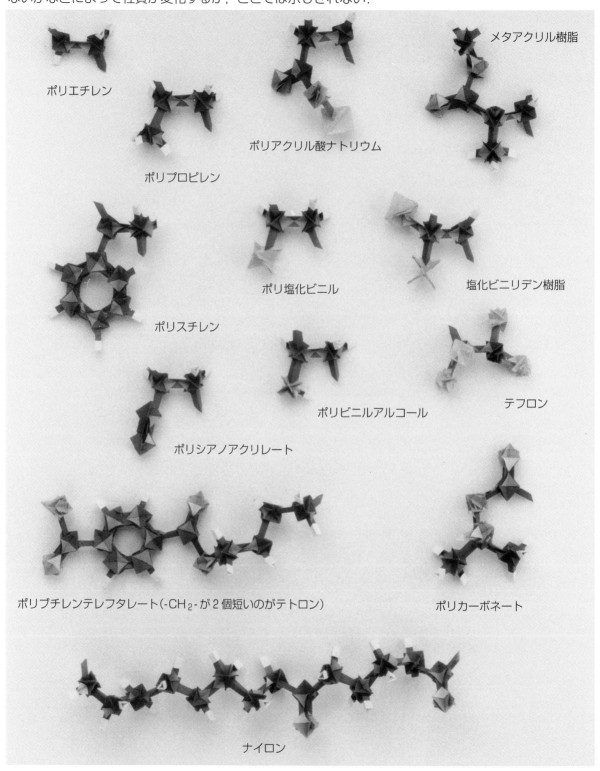

ポリエチレン

メタアクリル樹脂

ポリプロピレン

ポリアクリル酸ナトリウム

ポリスチレン

ポリ塩化ビニル

塩化ビニリデン樹脂

ポリシアノアクリレート

ポリビニルアルコール

テフロン

ポリブチレンテレフタレート（-CH$_2$-が2個短いのがテトロン）

ポリカーボネート

ナイロン

味覚とアスパルテーム　　Taste and sweetness

　味覚は甘味，苦味，辛味，塩味，酸味の5味で，それぞれの味を感じる細胞は口の中でそれぞれ別の位置に集まっている．さらに，味覚にはL-グルタミン酸ナトリウムやイノシン酸，グアニル酸などで感じうる旨味の感覚がある．舌の細胞のL-グルタミン酸受容体はD-グルタミン酸は受けつけない．

　主要な甘味成分はショ糖だが，わずか2個のアミノ酸残基とC末端のメチルエステルでできた合成甘味料アスパルテームは，アメリカのサール製薬会社の研究員が，ペプチドホルモン合成研究中に偶然発見したと伝えられている．

乳果オリゴ糖　　Lactosucrose

　ショ糖を加えた牛乳をブルガリアヨーグルト菌で発酵させると4^G-ガラクトシルスクロースができる．工業的には，乳糖とショ糖の等量混合物に，*Arthrobacter*の一種がつくる果糖転移酵素を働かせて生産されている．グラニュー糖のような味のこの三糖類は，ヒトの腸では消化されないで，腸内のビフィズス菌や乳酸菌の栄養になって有機酸に変わるので，整腸作用があり，カロリーの低い，インスリン分泌負担のない甘味料として使用されている．

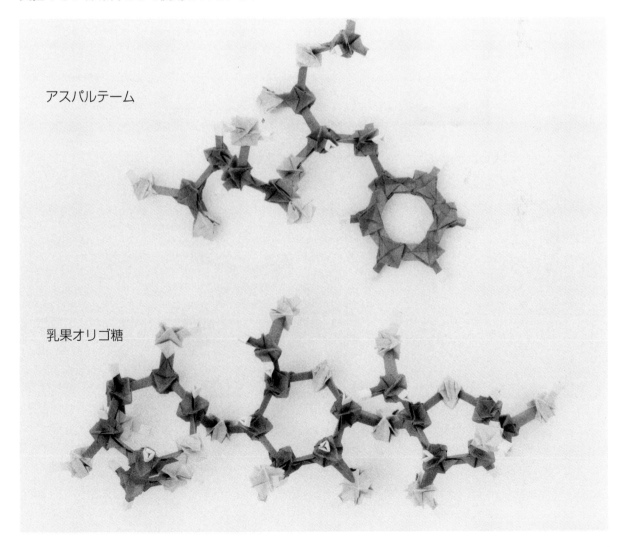

アスパルテーム

乳果オリゴ糖

ビタミン   Vitamins

　よく知られたビタミンは，A（レチノール，66ページ），B$_1$（チアミン），B$_2$（FAD），B$_6$（ピリドキシン），B$_{12}$，C（アスコルビン酸），D$_1$，D$_2$，D$_3$，E（α-トコフェロール），F，K$_1$，K$_2$，K$_3$などで，そのほか，葉酸，ニコチン酸（ナイアシン），パントテン酸，ビオチンなどもビタミン類に入れられている．それぞれ不足すると特徴的な欠乏症が起こる．本来は雑食性であった人類には，欠乏症がなかったはずだが，昔の長期間の航海での偏食による壊血病などや，白米食に偏ったことによる脚気などが発見の糸口になった．

　多くのビタミンは酵素の補酵素部分であるが，人体には合成能力がないので，食品から摂取される．最近は農作物の栽培条件の規格化や流通機構の影響や食習慣の変化で，食品中のビタミンが不足する傾向が現れてきた（まれには特定のビタミン過剰症も見つかる）．

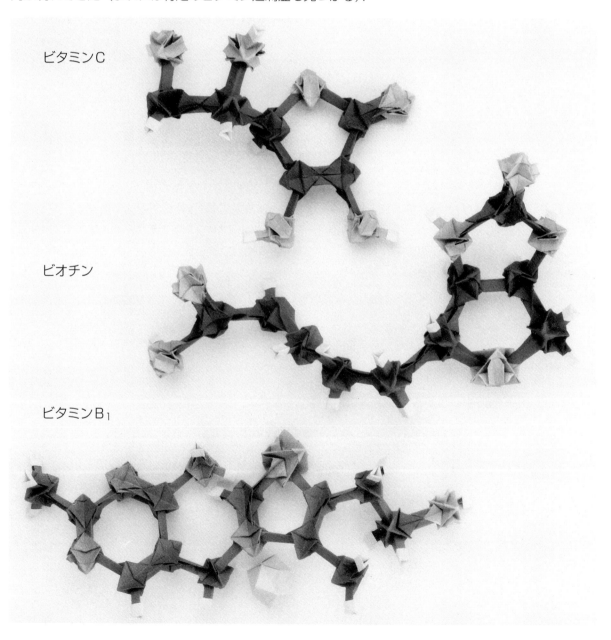

ビタミンC

ビオチン

ビタミンB$_1$

情報伝達物質とホルモン　Signal transporting substances and hormones

　体内の情報伝達は，神経細胞の膜電位変化による刺激の伝達と，神経細胞の接合部（シナプス）での分泌による伝達と，ホルモン分泌器官とそのホルモンの標的器官のセットによる伝達の，おおまかに3とおりに分けられる．

　神経伝達物質は，アセチルコリン（68ページ），カテコールアミン，グルタミン酸（89ページ），γ-アミノ酪酸，などである．

　ホルモンは，小さい有機化合物分子の場合（たとえば下図のアドレナリンやチロキシン）と，やや大きいステロイド系のホルモン（男性ホルモン，女性ホルモン，黄体ホルモンなど多数）と，短いペプチド（たとえばTRH，ACTHなど）と，大きいタンパク質分子（たとえば甲状腺刺激ホルモン，インスリン）など，多種類がある．

　ホルモン類は外界からの刺激や状態に応じて，微妙に調節されながら体内で合成され，血液を通じて標的器官に運ばれる．あるいは，すぐ近くに標的器官がある場合もある（局所ホルモン）．標的器官の細胞にはそれぞれのホルモンを特異的に結合する受容体タンパク質があって，そこにホルモンが結合すると何らかの化学反応（たとえばcyclic-AMPができる）を引き起こして細胞内に刺激が伝わり，さらに，細胞内の情報伝達機構を経て細胞の反応（たとえば酵素合成や別のホルモン合成）が発現される．

　ホルモンとホルモン受容体との結合には，きわめて希薄なホルモンを結合すること，および，鍵と鍵穴にたとえられるような誤った結合を生じない特異性がある．穴の大きさは生体構成物質の単位構造（たとえば単糖とかアミノ酸）の数残基分に見合う大きさである．弱い化学的結合力（たとえば，水素結合とか静電力）の複合した配置によって穴に入れる鍵が識別されうる．結合部位の立体構造はコンピュータグラフィクスでときおり示されるが，模型をつくる場合にはなお明確な輪郭をもったイメージが描ききれないことに気がつくだろう．不明なところを一つずつ解決すれば，ここまでに示した折り方を組み合わせてつくれると思えるので，つくりたい方は試していただきたい．

　ホルモン類似の構造を含む分子は，鍵穴にも合うことがあるので，低濃度でも正常なホルモンの働きを乱すことになるので，環境ホルモンといわれる．

アドレナリン　　　　　　　　チロキシン　　　　　　　　ダイオキシン

デンドリマー　Dendrimer

　植物の光合成では，直接には化学反応を起こせない可視光の光エネルギーを集約して光合成が行われている．デンドリマーは化学的に合成した分子で光エネルギーを集約するために樹木状の巨大分子を利用しようと考えだされたそうだ（相田卓三，江東林，化学，Vol.53，No.3，1998）.

　この模型は1枚の紙で平らに広がった形につくったが，実物は立体的に広がった姿をしているのだろう．何かの面の上に二次元的に広がった分子もつくれるだろうが，それにはまた新しい利用法があるかもしれない.

　天然物でも，デンプン粒は巨大なデンドリマーらしいと考えられているが，結合を通じて電子のエネルギーが渡らないので，上記のようなことは起こらない.

折り方　99ページの5から

1

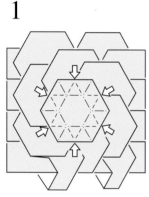

六角形の周囲を押すと
小さい六角形が浮き上る

2

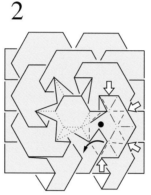

●印を向う側から押し上
げながら，1のようにする

3

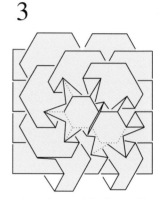

これで小さい六角形が2つ並んだ.
大きい紙で続けると下のようになる.

4

（図：デンドリマー，
中央の-N＝N-の部
分が赤外線でもcis→
trans 変換を起こす.）

シクロデキストリン　Cyclodextrin

　ある種のバクテリアがデンプン（72ページ）のアミロースを切断して，グルコース残基6～8個が連なった環をつくる．グルコース6残基の環をα-，7残基のをβ-，8残基のをγ-シクロデキストリンという．いずれもふつうのアミラーゼでは消化されないので，このバクテリアはほかの微生物から餌を取りあげているのかもしれない．

　この環の内側には6～10Å程度の穴があるので，界面活性剤分子や香気成分などが取り込まれることが1960年代末にはアミラーゼ研究者たちの間ではすでに知られていた．この穴に長いポリマーが入るとネックレス状の複合体ができる．ロタキサン（rotaxane）とよばれて，いろいろな機能をもった分子機械のようなものができないかという夢があるらしい．環のほうをホスト，中に入るほうをゲストとよんで区別している．

　天然物でも，たとえば，ＤＮＡポリメラーゼはＤＮＡ鎖にはまった環の形をしている．

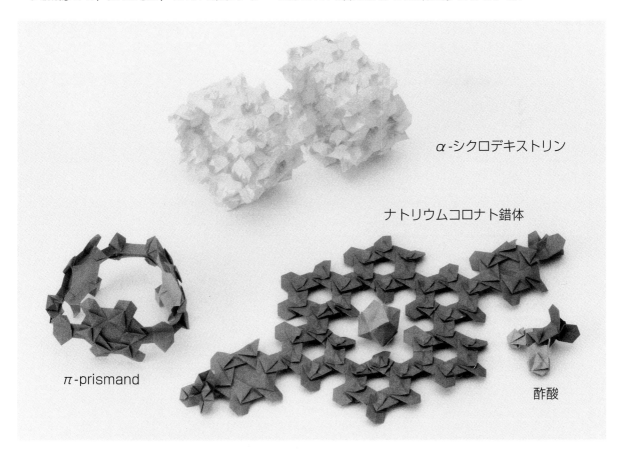

α-シクロデキストリン

ナトリウムコロナト錯体

π-prismand

酢酸

クラウンエーテル　Crown ether

　大きい環状分子が数個の孤立電子対をもっていたり，π電子をもっていたりすると，金属イオンが環に取り込まれて有機溶媒にも溶けることになる．つまり，一種の包摂化合物になる．

　金属イオンをより確実に環の中に捕捉して検出する試薬の例も図示しておきたい．なお芳香族環を含んでこれに似たような大きい環状の分子がフラーレン（78ページ）に包摂することを利用してその分別に使われたそうである（図：π-prismand，1:1酢酸ナトリウムコロナト錯体）．

カテナン　Catenane and catenand

　保育所か幼稚園で七夕祭りの飾りに紙の環がつながった飾りをつくった覚えがあるだろうか．つくり方はつぎのようなものである．もしこれが分子ならオリンピアダンとよばれる．

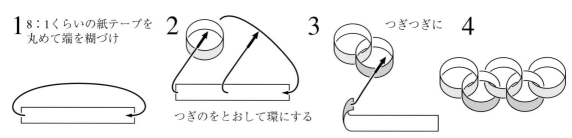

1 8：1くらいの紙テープを丸めて端を糊づけ

2 つぎのをとおして環にする

3 つぎつぎに

4

　あまりにも簡単で何だかわからないので，分子模型らしくつくるためにつぎのようにする．この模型は端を円筒形にもどしてから，端を互いに少し差し込んでから，もう一度稜線を立てると，つながってとれなくなる．この紙は 4：1 の長い紙です．

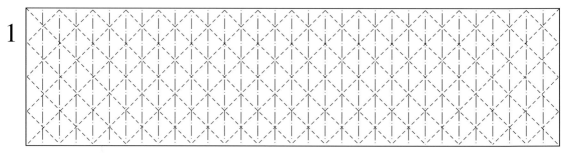

1

この紙はこちらが裏．斜めの谷折り線は正方形を8等分，縦の山折り線は正方形の8等分になる．

2

紙幅の1/4を重ねるように，円筒に巻く．糊づけ．

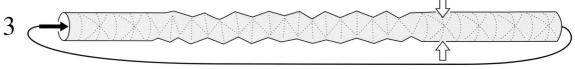

3

1でつけた折り目のとおりに稜線を立てる．環にして端を差し込んでつなぐ．

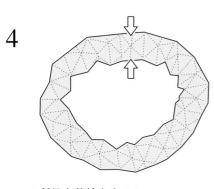

4

つぎ目も稜線を立てる

分子の環を鎖のようにつなぐのは，1960年にワッセルマン（Wasserman）が0.0001％の収率で合成したそうだが，同年ファン・グリック（van Gülick）が合成のための方法論を書いていたそうだ（藤田　誠，化学，Vol.53，No.3，1998）．両端にヒドロキシフェニルをつけたフェナントロリン2分子がCu$^+$に配位した状態で，ポリエチレングリコール鎖で閉環させてカテナンが収率よくできたそうだ．銅を外したのがcatenand.

　折り方のユニットは77ページ．

カテナン

有機ゼオライト　Zeolite with organic compound

　ゼオライトは分子のオーダーで多孔質のケイ素を主にした物質だが，そういう孔のある物質が有機物でも合成された．9，10-ビス（レゾルシン）-アントラセン誘導体は，エーテルやケトンなどの極性溶媒から再結晶するとゲスト分子を取り込んで規則的な繰り返し構造をもった大きい分子複合体になる（遠藤　健，青山安宏，化学，Vol.53，No.3，1998）．単位構造の2個のヒドロキシ基が水素結合でホストの構造を支え，残りの2個のヒドロキシ基はゲスト分子を捉えて，規則的な配列が自己形成される．ゲスト分子を真空加熱乾燥してもアポホストの空孔が保たれる．空孔は約14×10×10Åで，触媒能もあるとのこと．

1

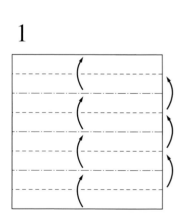

2　太線部分を切る

3　--- 線を折って，広げる

4

有機ゼオライトの単位構造

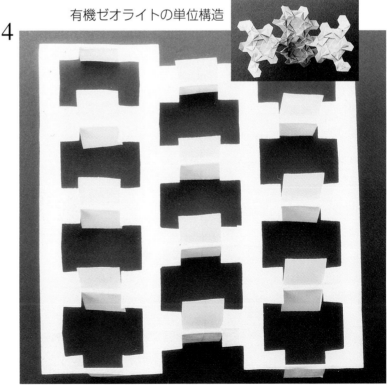

追　記 I

　この本を書くにあたって，下記の本を参考にしました．どちらかといえば，たまたま著者の手元にあった本で，この本がとくによいから読んでくださいという意味ではありませんので，ご容赦ください．大学に勤めていた間には，これはよいと思った本は大学の図書館へ入れてしまったようです．

　なお，珍しい化合物の構造やよい著作物は，化学同人の稲見國男さんが，親切に集めて貸してくださいました．この本を書く間に基本的な化学知識や新しい発展について読み直して，多くを学ぶ機会を得ましたので，あらためて御礼申し上げます．

① 杉浦俊男，中谷純一，山下　茂，吉田寿勝，「化学概論－物質科学の基礎－」，化学同人(1987).
② 大学自然科学教育研究会，「現代化学」，東京教学社(1982).
③ 後藤俊夫，磯部　稔 訳，「バーゴイン有機化学」，東京化学同人(1982).
④ 田中善正，大倉洋甫 編，「分析化学 I 改訂3版」，南江堂(1992).
⑤ 桃谷好英，「生物進化の分子的基礎－化学分類学－」，豊饒書館(1989).
⑥ 〈ニュートン別冊〉「自然にひそむ数のミステリー」，ニュートンプレス(1999).
⑦ E.L.Smith *et al.*, "Principles of Biochemistry－General Aspects 7th Ed.,"
　　McGraw-Hill Int. Book Com. (1983).
⑧ R.W.Gurney, "Ionic Processes in Solution," McGraw-Hill Int. Book Com. (1953).
⑨ 芝　哲夫，「化学物語25講」，化学同人(1997).
⑩ 「くらしの中の化学」，「暮らしの中の化学展」実行委員会 (1978).
⑪ 「明日をひらく化学の世界」，日本化学会 (1990).
⑫ A.Nickon，E.F.Silversmith 著，大澤映二 監訳，「化学者達のネームゲーム I，II」，化学同人(1987).
⑬ 化学，Vol.53. 3月号，7月号，10月号，化学同人(1998).
⑭ 化学，Vol.54. 11月号，化学同人(1999).

追　記 II　　折り紙について

　折り紙は，ただ紙を折るだけでつくる造形です．だから，一度誰かが折り方を考えると，その人がしたとおりに折れば，同じものが何回でもつくれます（作曲と演奏の関係か）．

　つくるときの一段階ずつは，ただ紙を折るだけですから困難さはないはずです．しかし，何回も折って複雑な形をつくるときには，とても難しく感じます．それは，形が複雑になると，つぎにどこを折るのかが判別しづらくなるからです．つまり，形の判別の困難さです．

　図の番号を追って誤りなく折ると必ずできますので，日本語で書かれた本でも諸外国で読まれています（見てわかるの意味）．この本では，簡単な形の結晶の折り方から書き始めてありますので，始めの方から折ってください．もし，この本の中の折り方がわからなかった方は，「初めての折り紙教室」（桃谷好英 著，誠文堂新光社）から始めていただくと，何でも折れるようになると思います．

追　記 III　　槌田龍太郎先生と折り紙

　昭和20年代から30年代にかけて，大阪大学の槌田龍太郎教授（化学）が錯塩や結晶の構造を折り紙でつくって学生にも示しておられた．ほかにも，五角形で折ったトラや三角で折ったアヤメ，四角で折った五弁の花など多くの作品があった．1枚の紙で折った正二十面体をさらに平らにたたんだ鶉があった．教授会の席でも折り紙をしておられたそうで，当時「不謹慎だといっておられた伏見康治先生（物理）がいまでは折り紙をしている」との話を伊勢村寿三先生（物理化学）から伺った．そこで，筆者も教授会では紙を折るのは控えていた．あるとき話が堂々巡りしている間に，白い天井を見上げて宙で折り「できた」と口にでてしまったのが学部長に聞こえて「では御意見を」と発言を求められ，咄嗟に「継続審議」といったのがたいそう感謝され，あとで「実は折り紙を折っていたんだ」と白状して怒られた．この本を終わるにあたり，あらためて，槌田先生の卓見に敬意を表したい．

桃谷好英

索 引

◆ 著者紹介

もも　たに　よし　ひで
桃 谷 好 英

1928年　大阪市生まれ
1963年　京都大学理学部大学院卒業
1992年　大阪府立大学総合科学部教授定年退官
　　　　大阪府立大学大学院農学研究科教授定年退官
現　在　財団法人 日本数学検定協会評議員
専　攻　化学分類学・植物生理学・折り紙
理学博士

折り紙で広がる化学の世界
—— 手のひらの中の化学実験 ——

第1版　第1刷　2001年 3 月 1 日
　　　　第2刷　2001年10月10日

検印廃止

著　　　者　桃 谷 好 英
発 行 者　曽 根 良 介
発 行 所　㈱化 学 同 人
〒600-8065　京都市下京区富小路通五条上ル
編集部　Tel 075-352-3711　Fax 075-352-0371
営業部　Tel 075-352-3373　Fax 075-351-8301
振替　01010-7-5702
E-mail webmaster@kagakudojin.co.jp
URL http://www.kagakudojin.co.jp
印刷・製本　㈲史 光 印 刷

乱丁・落丁本は送料小社負担にてお取りかえします.

ISBN4-7598-0866-3